101 '주연 등장'

밀짚모자 일당

쵸파에몬 【닌자】
토니토니 쵸파

'새의 왕국'에서 '강한 약' 연구에 몰두하다. 재합류에 성공.

[선의 현상금 100베리]

루피타로 【낭인】
몽키·D·루피

해적왕을 꿈꾸는 청년. 2년의 수련을 거치고, 동료와 합류. 신세계로 향한다.

[선장 현상금 15억베리]

오로비 【게이샤】
니코 로빈

혁명군 리더이자 루피의 아버지 드래곤이 있는 바르티고를 거쳐, 합류.

[고고학자 현상금 1억 3000만베리]

조로주로 【낭인】
롤로노아 조로

어두우르가나 섬에서 자존심을 버리고 미호크에게 검의 가르침을 간청, 이후 합류에 성공.

[전투원 현상금 3억 2000만베리]

프라노스케 【목수】
프랑키

'미래국 벌지모어'에서 자신의 몸을 더욱 개조. '아머드 프랑키'가 되어 합류.

[조선공 현상금 9400만베리]

오나미 【여닌자】
나미

기후를 분석하는 나라, 작은 하늘섬 '웨더리아'에서 신세계의 기후를 배워 합류.

[항해사 현상금 6600만베리]

본키치 【유령】
브룩

수장족에게 잡혀 구경거리가 되었으나, 대스타 '소울킹' 브룩으로 출세해 합류.

[음악가 현상금 8300만베리]

우소하치 【두꺼비 기름 장수】
우솝

보인 열도에서, '저격의 제왕'이 되기 위해 헤라크레슨의 가르침을 받고 합류.

[저격수 현상금 2억베리]

바다의 협객 징베
【전(前) 왕의 부하 칠무해】

인의를 관철하는 사나이. 빅 맘과의 격전 당시 루피를 도주시키기 위해 최후미를 맡았고, 습격 전에 합류.

[조타수 현상금 4억 3800만 베리]

상고로 【소바장수】
상디

'뉴하프만 왕국'에서 뉴커머 권법의 고수들과 대전, 한층 더 성장하여 합류.

[요리사 현상금 3억 3000만 베리]

Shanks
샹크스

'사황' 중 한 사람. '위대한 항로' 후반 '신세계'에서 루피를 기다린다.

[빨간 머리 해적단 선장]

와노쿠니 (코즈키 가문)
코즈키 모모노스케
[와노쿠니 쿠리 다이묘 (후계자)]
아카자야 아홉 남자
여우불 킨에몬
[와노쿠니의 사무라이]
덴지로
[전(前) 환전상 쿄시로]
안개의 라이조
[와노쿠니의 닌자]
잔설의 키쿠노죠
[와노쿠니의 사무라이]
아슈라 동자 (슈텐마루)
[아타마야마 도적단 두령]
요코즈나 카와마츠
[와노쿠니의 사무라이]
이누아라시 공작
[모코모 공국 낮의 왕]
네코마무시 나리
[모코모 공국 밤의 왕]
소낙비 칸주로
[와노쿠니의 사무라이]
코즈키 히요리(코무라사키)
[모모노스케의 여동생]
트라팔가 로
[하트 해적단 선장]
불사조 마르코
[전(前) 흰 수염 해적단 1번대 대장]
이조
[전(前) 흰 수염 해적단 16번대 대장]
오타마
시노부
꽃의 효고로
캐럿
완다
키드 해적단
유스타스 키드
[키드 해적단 선장]
킬러[살인귀 카마조]
[키드 해적단 전투원]

함께 싸우기로 맹세한다. 그리고 옥상에서는, 루피와 카이도의 맞대결이 시작된다!! 하지만 사황의 벽은 높아 루피는 카이도에게 패하고 만다. 그 소식을 들은 동료들은, 그럼에도 루피의 부활을 믿고 싸움을 이어간다. 그리고 루피는 모모노스케를 통해 반드시 돌아오겠다고 선언! 동료의 사기가 드높아지는 한편, 루피가 없는 옥상에서는 야마토와 카이도의 부녀 대결이 시작되려고 한다….

빅 맘 해적단

빅 맘
샬롯 링링 【 사황 】

'사황' 중 한 사람. 통칭 빅 맘.
수명을 뽑아내는 '소울소울 열매' 능력자.

[빅 맘 해적단 선장]

C • 페로스페로
[샬롯 가 장남]

'정보꾼'

스크래치멘 아푸
[온에어 해적단 선장]

와노쿠니 (쿠로즈미 가문)

쿠로즈미 오로치

카이도와 손을 잡고 와노쿠니를 지배. 코즈키 가문에 원한이 있으며 교활하게 군다.

[와노쿠니 쇼군]

쿠로즈미 칸주로
[오로치 측 내통자]

백수 해적단을 이탈하고 루피와 공투(共闘)로!

X 드레이크
[전(前) 토비롯포]

후쿠로쿠쥬
[전(前) '오니와반슈' 대장]

호테이
[전(前) '순찰조' 총장]

오로치 오니와반슈
[전(前) 와노쿠니 쇼군 직속 닌자 부대]

야마토[자칭 : 코즈키 오뎅]
[카이도의 딸]

NUMBERS

쟈키

고키

난기

핫챠

쥬키

Story · 줄거리 ·

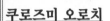

2년의 수행을 거치고, 샤본디 제도에서 재집결에 성공한 밀짚모자 일당. 그들은 어인섬을 거쳐 마침내 최후의 바다, '신세계'에 이른다!! 루피 일행은 모모노스케 측과 동맹을 맺고, '사황 카이도 격파'를 위해 와노쿠니에 상륙. 동지를 모아 오니가시마로 돌입한다!! 섬 내부 각지에서 싸움이 시작된 와중, 카이도의 딸 야마토는 루피와 만나,

ONE PIECE

vol. 101

'주연 등장'

CONTENTS

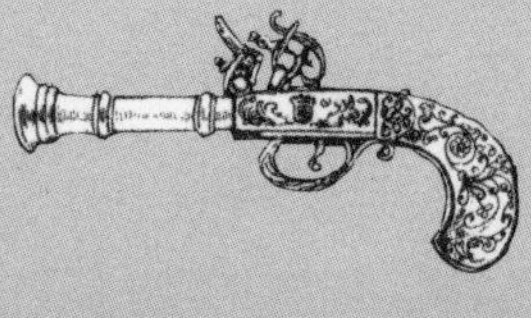

제 1016 화
‘오타마이야요!!’

표지 리퀘스트 ‘닌자 조로가 닌자 고양이와 천장 밑에 숨었다가 창에 찔릴 뻔한 모습’
P.N 벌꿀 핥는 아이

와노쿠니 '꽃의 도읍'——
와아아아아아아아아아아아아아아…!!
쿵짝♪ 쿵짝♫
까하하. 마셔라——!!
시끌 시끌
와하하하하!!
노래해~~~!!
둥둥두둥!
깡총 깡총
띠리리리링♫
와아 와아아
아하하 하하하.
와아아아아아아아
화려하구나, 오토코.
아하하 하하하.
불축제는 망자를 기리는 축제.
천국에 닿도록 불을 지피는 거다.
응!!

아빠.
보고 있을까.
쿵짝♪
아하하 하하!!
쿵짝♪
그래, 물론이지.
하늘이 이렇게 맑으니까.
시끌
시끌
쿵짝♪
지켜보고 있을 거다…. 너와
쿵짝♪
이 나라의 앞날을……!!
쿵짝♪
와아아아아아아
쿠구 구 구 오오오오
쿠구 구 구 구우
와
끄악
콰과아앙

성안 '내빈실'—
'밀짚모자 루피'를 잃어도
콰과아앙!
와아아아아아아아!!
항복하는 자는 없는가.
네, 현재 전황을 보면—
와!
띠딩♪ 띠리딩♪
쿠구우웅

10

와아 아아아아아 아!!
또 5천의 병사가 전투불능이 되어
병력 차는 2만 4000 VS 3000.
챙!!
쿠우…웅!!
와아아아아아아아…!!
——하지만 라이브 플로어의 '플레저즈'와 '웨이터즈'가
전원 다 퀸 님에게 반발하여
파악!
4천 명의 병사가 움직인 결과
2만 VS 7000의 싸움으로!!
20
(2만)
7
(7000)

설마 병력 차가 좁혀질 줄이야……….
개굴
전혀 읽지를 못하겠네요.
──계속 판세를 바꿀 정보가 들어올 것 같습니다.
개굴
모모노스케도 ~~~~~~ ~~~~~~!! 떨어졌네!!
그러게요!! 사실상 '대장'의 죽음!!
이 소식을 퍼뜨리면 사무라이들은 이번에야말로 전의를 상실하겠죠!!
그래! 모두의 정신을 붕괴시켜버리자!!
같은 층, 나미·우솝·오타마 측
와－ 쿠구우웅
내가 개발한 '크리마 택트'가 말을 했어!!
나 혹시 스스로 눈치 못 챌 정도로 천재인가?!
아니, 그러니까 나라구. 예전 그 제우스라구!!
왜 네가 '크리마 택트'가 됐어?!
아까 잡아먹혀놓고?!
쿠구우…웅
와아아아아…!!
어에엑!!

그때 내 혼은 원래 몸에서 뽑혀나와
몽롱한 상태로
'헤라'라는 애한테 흡수될 뻔했는데
나미가 그때 '크리마 택트'를 늘여트려줘서
쒸
얍!
동정심의 블랙 볼이야!!
헤라에게 물린 그 찰나
이쪽으로 밀려들어온 거 같아.
……
…….
그래서 나 이렇게!!
다시 태어난 거야!!
엑──?! 내 무기가 어쩐지 좀 시끄러운데?!!
맞다, 나 용서받지 못했지?!!
──하지만 마마의 힘이 없으면…… 여기서 나가지 못해…!
!!!
아!! 애들아!! 스테이지에 도착했어!!
타마!! 여기서 호령을!!
응!!
빠밤!!
닥!

보고~~~!!
적의
'대장'——
모모………
오니가시마
전역에~~~!!!
?!
바오황 님,
뒤에!!
!
밀짚모자
일당이!!
타
닷!!
앗!!
우소하치
군!!
응?
엇.
야앙!!
꼬약—!!!
우솝?!!

결국 그래서…… 이 녀석 대체 무엇이와요?!
이 녀석이 있어서 부하들이 연이어 우리를 배신하고………!!
끝내는 빅 맘까지 조종하다니!!
하아… 하아….
오타마!!
어―?!! 그걸 당하고도 일어났다고?! 저 녀석.
네가 페찡이를 그런 꼴로!!!
꺄악―――.
으윽!!
쿠웅!!!
―그러니까 그만두라고………
말했지?!!
어?!!

나미!! 평소처럼 택트를 써!!
비틀
내가 보조할게!!
그런 것도 가능해?!
저 녀석은 표면이 되게 단단해!!
──하지만 속은 마마한테 당해서 엉망진창이야!!!
후──
후──…
'뇌정'을 맞히면 한 방에 끝이라구!!
안 돼!! 그런 큰 공격은!!
오타마까지 맞게 돼!!
응?!
'필살'
'초록성'!!

떼어냈어!! 해치워, 나미!!
퍼어엉!!
'사르가소'!!!
!!!
으아!!
와아아아악!!

'웨더 에그'!!
네—엡!!
나와라, 뇌운!!
뭉그을
제우스!!
정확히는 달라!!
그러니까 나미!! 나한테 새 이름을 줘!!
뭐?
'솜뭉치'!!
나는 '제우스'!! 나미의 오른팔!! 각오해라!!
간다, 제우스!!!
빠바앙!!
'뇌정'!!!
나의 공격!!!
꺄아 아악!!!!

사삭!!
!!!
거짓말…….
헉…
끝이네…!!
불푸욱.
끄윽…!
끝나지 않아!!
맞힐 때까지가
즈과아

와악———
———!!!
털썩…
파직
파직
울티 님이 당해버렸어 ~~~!!!
페이지원 님에 이어서!!!
'토비롯포'가 둘씩이나 당하다니 ~~~~!!!
엑———
———?!!
와아아아
술렁
거짓말이지?! 지금까지 이런 일은 없었는데.
설마 밀리는 거야?! 우리들!!
바오황 님!! 다들 듣고 있습니다 ~~~~!!
아차, 방송해버렸네!!
어-?! 뭐야?!!
까악. 뭐야, 이 괴물은 ~~~~~!!
?!

빠—밤!
쩌억...
야,
타마!!
초록성
'데빌'!!
원리는
모르겠지만
츠욱...
이 녀석이
발신기야.
말해!!
응!!
오...!!
오타마이야요!!
뭐?!
쿠—웅!!
왔다!!
주인님!!
하아
하아...
오타마?!!
꺄악!
쿠구구...

두웅!!
와아아아 아
쿠구구구 오오오
'밀짚모자'는 죽었다…!! 코즈키 오뎅의 아들도 말이다 ………!!
싸울 생각이거든 지킬 것을 확실하게 지켜라!!!
미숙한 꼬맹이가 수갑을 풀고
이곳을 떠나버리기라도 할 작정이냐?!

그래!! 난 루피와 같이 바다로 나갈 거다!!!
너를 '와노쿠니'에서 쫓아낸 다음에 말이지!!! 카이도!!!

쿠쿠
워로로로로로……!!! 아무 데나 다 좋은 게 아니다. 야마토……!!
나는 여기가 '와노쿠니'라서 터를 잡은 거다!!!
쿠구우··웅!!
네가 나를 이길 턱이 없다!! '와노쿠니'의 쇼군이 되어라, 야마토!!!
거절한다!!! 이기지 못한다는 건 잘 알아!!! 하지만……!!
루피야말로 코즈키 오뎅이 기다렸던 남자!!!
……
…….
그가 이곳에 돌아올 때까지!!!
난 너를 막아내겠어!!!
두우웅!!
봐주리라 생각 마라?!! 야마토오!!!

(도쿄도 · 호야 씨)

D(독자) : 오다 쌤! 오뎅 하으하으 게임이란 거 아시나요?
입에 오뎅을 넣고 하으하으 하면서 하는 말을 맞추는 게임이에요.
그럼, 뭐라고 말하는 걸까요?
'하흐흐- 하흐 훠우 하흐흐하흐' P.N. 케이

O(오다) : 엑? 뭘까. 재밌는 게임인데 하나도 모르겠어.
답이 쓰여있네요. 어디 보자-. 답은 바로
'SBS를 시작합니다'구나. 옳거니,
시작해버렸잖으—!!

D : 오다 선생님, 안녕하세요. 원피스는 젊은 팬이 많다고 여겨지는 편인데요.
저처럼 매일 저녁밥 짓는 게 고민인 주부도
많이 있답니다. 주부 팬클럽을 만들어도 될까요?
P.N. 히토나츠

O : 아— 그럼요 그럼요! 여기 방석 깔았습니다. 자자. 느긋하게
있어 주세요. 여성 여러분, PTA 여러분께는 특히 더 정중하게
맞이하는 만화 ONE PIECE입니다♡

D : 오다 선생님, 안녕하세요!! 저는 로빈 양에게 클러치를
당하는 게 꿈입니다만, 오다 쌤이 로빈 양한테 부디
저를 위해 클러치를 해줄 수 있도록 부탁 좀 해주실 수
없을까요?? P.N. 로빈 양을 싸랑하는 여자

O : 어이 어이 어이 여자! 여자! 그쪽이 날뛰면
어떡합니까! 오늘은 주부 여러분께서
와계시니까 다소곳하게! 알겠지?!

D : 오다 쌤, 안녕하세요! 최근에 SBS가 어수선해져서 말인데, 이런 코너를
만들면 어떨까요. 이름하여
S (쌈박하게) E (에로틱한) S (심층질문) 코너! P.N. 게맛살

O : 좋—아!! 이거 완전 망했구만—!!

제 1017 화
'호령'

표지 리퀘스트 '버기의 몸으로 퍼즐을 즐기는 침팬지' P.N 캐미소나루

돔 내부 '라이브 플로어'—
두웅!!
!
왜 전장에
저런 꼬마가 섞여 있지?!!
아아
와아아아
끄악-
어찌 된 일이냐, 바오황!!!
빠밤!!
누구냐, 네 녀석은!!!
까악——!!!
움찔!!

오타마!!!
와아아아아
타다닥…!!
타마!! 정신 차려!!

성안
4층——
탕!!!
까하하!!
……!!
줄룩…
불평 한마디 없구나, 징베.
애당초…!!
5천과 3만의 싸움——.
인원이 남아도는 것은 필연이지.
맞대결을 할 수 있으리라 생각하진 않았네.
하하하….
전황을 잘 보는군.
성가시게.
두두두웅!!
와
콰앙

그렇다.
너희 간부들이 날뛰지 못하게 막는 것이 우리 일일세!!
와
콰앙
아주 줄줄이……!!
하아
부하가 줄어들질 않는구만!!!
우오오오오오

총력전이란 이런 것이다…!!
두우웅!
나를 원망하지 마라…!!
………………!!
하아.
하아.
라이브 플로어의 '플레저즈'와 '웨이터즈'가 배신한 것 같다!!
까불고 있어……!!
어떡할래?!
매로 다스리고 당연히 추방이지!!! 혼쭐을 내주겠다아!!
빠방!!
두두두두두두

플로어의 배신자들을 처치해라——!!!
와아아아아아아아아!!
끄악——!! '기프터즈' 다아——!!!
끄악
와

오타마 ~~~!!
힘내!!
빠방
!!
수수경단을 먹은 친구들 ~~~~~.
수!!
와아아아...!!
?!
!!
또 외치는데?!!
부탁이야요!!!
뭐야, 저 꼬맹이는 ———!! 떨궈버려!!
응?
와아아아 아아 아아아...!!

루피 오라비네와 모모노스케 군 쪽과!!
한 편이 되어주라요 ~~~~~~!!!

정신 차려, 밀짚모자!!
죽지 마아!!
하아.
하아.
으와아아앙. 높았어………!!
킨에몬——!! 키쿠우~~~!!
함께 카이도를!!!
쿠구구구구오..
해치워버리라요 ———!!!

됐다!! 호령이 떨어졌어!!!
무…… 무슨 일이십니까?
브리스콜라 씨!!
저기 영문 모를 꼬마를 때려잡아!!
쿠구 구구..
브리스콜라 씨, 왜 그러세요?!!

기꺼이 따르겠어. 주인님 ~~~!!!
콰과앙
끄아아악!!!
'기프터즈'가 이상해!!
우오—. 맡겨줘, 주인님——!!
우오오
으악—!! 왜 꼬마 말을 듣는 검까—!!
악
끄악
타도 카이도——!!!
너희도 따라라!!
다이후고 님~~?!!
이봐, 어떻게 된 거냐?!
끄악
와아아아아앙
……?! 무슨 일이지……?!
내부 분열?!
끄악

받들겠어!! 주인님~~~ ~~~~~!!!
으악—!! 햄릿 님이 실성하셨다아 ~~~~~!!
와아아아아 아 아 아아아아
두
웅!!!
'바다의 협객 징베'!!
들러리는 이쪽이 맡겠다!!
후즈 후를 때려눕혀—!!
여기는 성안 4층!! '신우치' 포커 님이 느닷없이 배신!!
와아아아
빠
밤
포커?! 이 자식!!!
거들도록 하마. 사무라이들 ~~~~!!!
여기는 성안 2층.
승자는 '밀짚모자'란 선택지뿐이다——!!!
'기프터즈'가 배신했습니다!!
엑——?!
두
두

와아아아아아
?
이상 하군요….
대체 무슨 일이…….
띠리잉♪
와!
끄악!
성안 3층에서 '기프터즈'가 폭주 중─!!
우뇌탑!! '기프터즈'가 폭주──!!!
와아아아아아아아아
여기는 성안 지하 1층──
?
?
무슨 일이 벌어지고 있는 거지─?!
오니가시마 전체가 패닉입니다!!!
두우웅!!!
해골 돔 좌뇌탑 유곽 연못──
해냈다, 오타마!!
작전 대성공이야!!!
휴우…
번──쩍!!
설마 저 꼬마 짓인가?!

위험해. 도망치자!!
'콜리에 (목살)'
'스트라이크'!!!
콰과
뚜헤엑 ~~!!!
아앙!!!
이 자식…!! 저지의 아들내미~~!!!
그 이름, 두 번 다시 입에 담지 마라!!
너도 정신 나간 연구팀 소속이냐?

옛날
얘기지.
'MADS'
말인가?!
봐라.
내 몸을!!
무엇을 숨기랴.
'사이보그'다!!
철컹
철컹!!
아까부터
봐서
다 알거든?!!
으악!!
큰일이다!!
퀸의
인수형!!
거리를
둬!!!
안다고 한들
소용없지…!!
이기지
않고서야!!!
므하하
쵸파, 그쪽은
어떻게든
되겠어?!

와아아아아아아아
음…!! 괜찮다…. 그… 그쪽에 집중하거라 ………!!
…… …….
이보게, 미야기…. '조'에
!
너도 걱정되는데, 그 모습……!!
그런 약이 있었는가…!!
내 생각만으로 투여할 순 없네만, '초회복'이 가능한 것인가?
네, 일시적으로는. 그 대신 부작용으로
쵸
후들 후들…
나중에 곱절의 고통이 ……….
데-엥!!
애늙은이 쵸파
(럼블볼의 부작용)
생각할 시간이 없어. 그거 이리 줘!! 하아… 하아.
아… 듣고 계셨습니까.
나중에 몸이 어찌 되든 간에…….
지금 싸우지 못하면
의미가 없어…!!!
두웅!!

성안
4층——
끄악——
——!!
와아아아아아아아
기프터
~~즈!!
어째서
~~!!!
무슨 일이
벌어진 건지
모르겠지만
진지하게
싸우지 않으면
안 되겠군…!!!

'인건(刃銃)'!!!
두두
두두!!
'어인
공수도'!!!

찌리릿…!!
!!!
'당초 기와 정권'!!!
두파아앙!
쌔애액!!
'체(剃)'!!!

'람각 (嵐脚)'!!!
채이이잉!!!

……
…….
이것은 '철괴'라고 부르면 되는가?
이것들은 '정부 측' 인간의 전투술 '육식'…!! 그러고 보니 옛날에

37

정부의 비밀 첩보기관 'CP9'의 멤버가
'탈옥'했다는 소문을 들었네…. 기묘한 이야기지. 첩보부원이 붙잡혀 있었다니.
하하하!! 잘도 그런 사건을 기억하고 있군!!
그래. 바로 나다!! 너를 봤던 건 일방적이었어!!
우웅!!!

지금 여기 있는 나 자신은 마음에 들지만……!!
고생했다고. 13년 전 딱 한 번의 실수로 말이야….
천재 로브 루치에게 뒤처지지 않을 만큼…!! 나도 '유망'하다는 소리를 들었거든?!
!!
'아건(牙銃)'!!!
!!!
피융!!

쌩겅!!!
확실히 본 적 없는 '육식'….
안타깝긴 하네만 나와 인연은 없군.
그렇지도 않아!! 너, 말했지?!
가슴을 펴고 '밀짚모자 일당'이라고!!
!!
크르릉…
나는 그 이름을 들으면 괴로운 과거가 생각나거든….
13년 전… 정부의 배로 호송 중이던 '악마의 열매'를 빼앗겼다.
—그리고 2년 전… '밀짚모자 루피'가
두각을 나타냈을 때 나는 놀랐지….
…….
그때 빼앗겼던 '고무고무 열매'를
'밀짚모자'가 먹었으니 말이야!!!

(카나가와 현 · 하마네 씨)

D : 오다 쌤! 3(쓰리) 오빠야랑 결혼하게 해줘! P.N. 녹차의 아이

O : 좋아ー! 행복하길ー!

D : 제가 아카이누라면 분명 이렇게 말할 겁니다.
사나다라는 변태를 용납지 마라!!!
P.N. 노부오 선장

O : 오ー!! 좋은 얘기 말해줬어! 맞아 맞아!!
저 변태를 용납지 마라ー! 이번에는 괜찮아!
진짜로 게재 안 할걸랑요.
SBS 회장 문은 자물쇠투성이고
경비원도 500명 배치했습니다.
평화로운 SBS를 즐겨주시길 바랍니다~~~!!

D : 오다 쌤, 안녕하세요. YouTube 방송으로 원피스를 보기 시작한 신입인데요,
매주 기대하고 있습니다.
츠지무라 선생님의 인형 교실에 다니던 시절,
원피스와의 컬래버레이션 작품 잘 구경했습니다.
지금은 아카자야 9인의 '신(新) 팔견전'이나
'사나다 10용사' 같은 인형극을 볼 수 있으면
좋겠다~ 하고 멍하니 꿈을 꾸며 인형을 만들고
있습니다. from 츠키 씨

O : 오호라ー 츠지무라 쥬사부로 씨의 인형 교실에
다니셨군요ー! 헤에ー! 어쩐지 인형이 제 취향이더라니!
ONE PIECE 일러스트집 6번째 책자 'GORILLA (고릴라)'에서,
대담 코너에 나온 제가 존경하는 인형 작가 츠지무라 씨 되십니다만.
와노쿠니의 사무라이들은 츠지무라 씨의 디자인을 목표로 만든 거라,
역수입 같아서 기쁘네요. YouTube로 '원피스', '인형극'을 검색하면
츠키 씨의 인형 제작을 볼 수 있어요. 대단해라. 참 좋아. 힘내라ー!

제 1018 화
'징베 vs. 후즈 후'

표지 리퀘스트 '어린 시절, 공룡 도감을 읽는 페이지원이 공룡 인형으로 같이 놀고 싶은 울티에게 방해받고 있는 모습'(어른 버전) P.N 벌꿀 핥는 아이

성안
—
우오오오
~~~~!!!
사무라이 무리로 전향한 '신우치' 및 '기프터즈'.
약 300명!!!
?!
우오오오오 오오오오!!
라이브 플로어의 스테이지에 올라온
소녀의 호령에 의해!!
와아아아아아아 아아아!!
어떠한 영향을 받은 듯 보입니다!!

저 꼬마다!!!
와악!!
요상한 술법을 부리다니!!
저 녀석을 죽이면 술법이 풀리려나?!
위험해. 타마가 표적이!!
와!
끄악!
악!
~~~~

'스코피언
데스 니들'!!!
두피 펴억
?!!
끄아아
아아악!!!
다이후고
니임?!
헉
헉
?!
아!!
다이후고 군!!
끄악
와
타세요!!
!
와
끄악
타다닥!
말순이
언니!!
대성공이네요!!
주인님!!
주인님
~~~~~!!
아까 저쪽에
타다다..!!
히히~잉
나도
태워줘
~~~!!
와
끄악
코마치요가
쓰러져 있던데!!
걱정되지?!
우리한테 맡겨줘!!
허억
정말?!
고맙시야요!!

정말 대단한 능력이야…!!
그러게. 보통 전장에서 친구 생길 일은 없지.
주욱
저기, 나미. 날 예전처럼 시종으로 삼아줄래———?
무슨 소리야?! 안 돼.
엑~~~ ~~~?!
포옹!
어때? '짝꿍'은
나미~~~~ ~~~~~♡♡
뿅~
비켜~~~~. 난 나미의 짝꿍이라고 ~~~~~!!
끄아 아악!!!
파직
파직
너도 참 대단한 힘을 손에 넣었다 야…….
사무라이와 함께 카이도를 무찔러라 ~~~!!
야!! 너네 제정신이야?!
신우치의 부하 중에서도 추종하는 자가 존재!!
그 수는 약 2천 명!! 그들에게 허를 찔려
와아아아아 아아아!!

당해버린 이쪽 병사 수가
약 2천 명——!!!
…….
——즉 원래 3만이었다가 현재 2만인 백수 해적단은
띠리잉♪
띠링♪
와아아아아아
쿠구우…웅
2천 명의 배신자와 2천 명의 부상자로 인해
전력이 더욱 줄어들었습니다 …!!
흑…
따악!
1만 6000 VS 9000!!
기프터즈의
활약에 따라 '백'이 더 늘겠군.
빠
방!!
16
9
누가 이기든 상관없지만
그 녀석의 죽음은 확인해야 해……….
와—!
끄악—!
정말로 본인인가? 갖고 도망친 기밀 정보도 오래된 거야.
와—!
특별히 정부에 해가 될 건 없어.

도망쳐도 살아갈 수 있다는
'전례'가 좋지 않아.
——뭐, 살아남는다면 말이지….
촤락…
상대는 바로 그…… 징베다.
성안 4층——
위험해. 떨어져!!
후즈 후 님이 진심이다!!
후두둑…!!
퍼버어…엉

'월보'!!

——요컨대 자네는
루피를 원망하는 건가?
헉.
헉.
정확히는…… 우리에게서 '고무고무 열매'를 빼앗은
빨간 머리 샹크스다만!!!
채이잉!!!
채이잉!!!
'아건'!!!
채잉!!
!!
……
…!!
콰슉…
당시 놈이 썼던 '밀짚모자'도,
'고무고무 열매'도 그 녀석이 계승해버렸으니!!
원망의 화살이 그쪽을 향하지 않겠어?!!
콰콰콰 콰콰콱!!
파바밧!!
썰겅
썰겅!!!
썰겅!!!

아래층 3층——
으악—!!
천장에서 뭔가 떨어진다!!
팔이 ~~~!!
이건… 후즈 후 님의 '아건'?!
4층 ——
하하하. 네 '무장색'으로도
무리인가?!

좋은 판단이었어…!! 엔간한 '무장색'이라면 찢어발기지!!!
지상에서도 움직임이 재빠른걸, 징베!!
어인이면서.
기가 막히는군…!!
요즘에는 유행하지 않네만……!! 어인 차별 같은 건….

크크크 크크
하하하. 미안하게 됐네.
너한테는 물어보고 싶은 게 있거든!!
'철괴'.
꽈악
…….
피융!!
'아섬(牙閃)'!!!!

콰콰콰콰콱
....
......!!
콰콱!!
'어인
유술'

콰아앙!!!
끄윽!!!
'썰물 한 팔 업어치기'!!!

으윽.
찰방..!
'격수(擊水)'!!!
!!
'체'!!!
웅!!
쏴애액!!
..........!! 거 아프네 ......!!
텁!!
하아, 하아.
어이, 이보쇼……. 하아… 하아.
내가 감옥에 잡혀있었을 때….
!
들은 이야기다….
나는 혹독한 벌을 받으면서…… 그것에 기도하라며 웃음거리가 됐지!!

아주 먼 옛날…
노예들이
언젠가 자신들을
구해주리라
믿은
전설의
전사라더군!!
'태양의 신
니카'!!!
실재했는지
망상인지…
사람을 웃게 만들고
고뇌에서
해방시켜주는
전사.
!!!
영원처럼
느꼈던
투옥 생활
중에
깡!!
빠악!!
채앵!!
키잉!!

나는 그런
기묘한 전설에까지
매달렸다!!
콰콰콰
콰
아무나
좋으니까
구해달라고!!
………
……!!

왜 그걸
나에게
묻나?!
채이
잉!!
네가 이끈
'태양
해적단'에는
!!
노예 출신이
있다고 들었다!!
어인의 역사는
노예의 역사잖아?!!
콰득…!!
쌔액…
'지건'!!!
콰슉!!
윽!!!

'반(斑)'!!!
두두두두두
으오오!!!

왓아아아아아아아
우오―. 봐!! 후즈 후 님이 압승하는 중!!
해치워버려―!!
엄청나. 우리 '토비롯포'는 전직 칠무해보다 강해!!
두두두두두두두두!!
………
……!!
두두
내게 그 '니카' 이야기를 한 간수는……
훗날 제거됐다………!!!
나도 위태롭다 싶어서!!
목숨 건 탈옥을 꾀해 지금에 이르지!! 알기만 해도 위험한 건가?!
?!
흥미가 생기지?! 아는 걸 알려주라고!!!
두두

뽀기익!!
!!!
끄아아악 ~~!!!
………
……!!

'어인
공수도'……!!!
텁!!
텁!!
'파(破)
샤크'!!!
뽀각!!
빠각
끄아악~~~
~~~~~!!!
빠각!!
네게 할
이야기는
아무것도
없다!!
후즈 후
님?!!
으라압!!!
채이잉!!!
!!!
……!!
후벼파라!!
'아건'!!!
채이잉!!
~~~~~

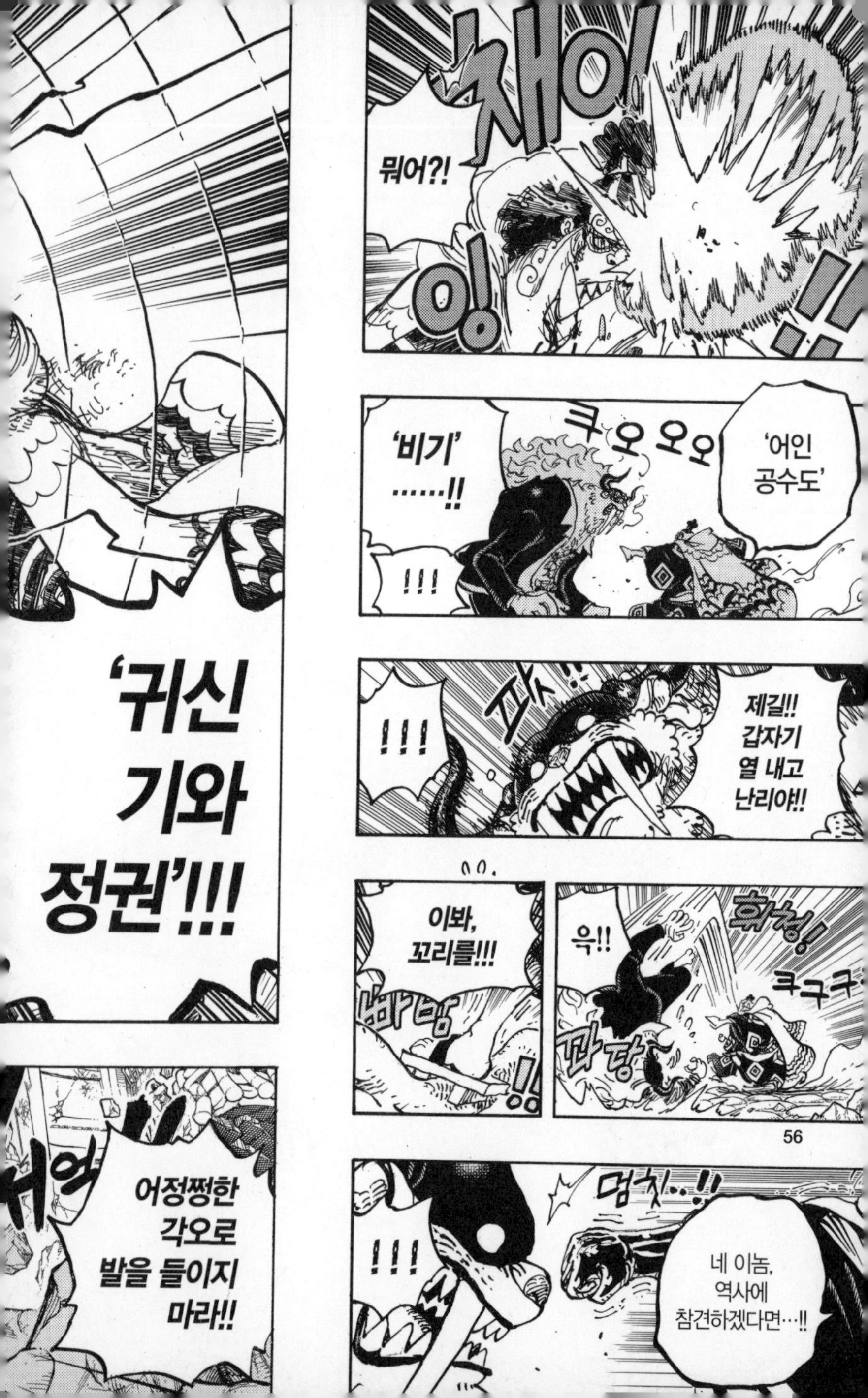
채이!!
뭐어?!
'어인 공수도'
쿠오오오
'비기'……!!
!!!
제길!! 갑자기 열 내고 난리야!!
!!!
휘청!
쿠구구
욱!!
콰당
이봐, 꼬리를!!!
멈칫…!!
네 이놈, 역사에 참견하겠다면…!!
!!!
'귀신 기와 정권'!!!
어정쩡한 각오로 발을 들이지 마라!!

!!!!
두웅!!
쩌적 쩌적
끄아아아악
~~~~~~
~~~~~~!!!
으악—.
후즈 후 니임
~~~~~~!!!
두웅!!
~~~~~~

제1019화 '헬리케라톱스'

ONE PIECE

성안 '라이브 플로어'——
샤앗———!!!
피웅!!
피웅!!
레이저를 몇 발이나 쏘는 기술……!!
프랑키가 갖고 싶어하겠군!!
퍼어엉!!
!!
어이!! 깊다고 깊어!!
아!! 죄송합니다!!
와아아아아아 아아
붕대가 너무 두꺼워서…
풀고 놔야지!!
쿠슉
그렇네요!! ……뭐, 일단 해보죠.
!!
괜찮냐 엉~~~~? 아아악!!!
푸욱!!
아아아아아아아

'와노쿠니' 해상 폴라 탱 호
다시 살아나——!!!
다시 숨 좀 쉬어봐, 밀짚모자——!!!
제길, 선장님이 있었다면.
첨버———엉!!!
이 이상 어떻게 조치해야 할지 모르겠어!!
밀짚모자——!!
눈 좀 떠봐——!!
물은 이미 다 뱉었는데!!
무슨 약이라도 먹일까?!
아니, 주사를 놓자!!
얼굴이 새파래!!
어떡하면 좋지?!
?!
쿨럭.
고기———!!!
엑———?!!

좌뇌탑
오니가시마 '해골 돔'
으악—. 잠깐만!!
신우치가 왜—!!
여기는 맡겨라!! 사사키를 해치워버려, 쇳덩이 형님———!!
카하하하. 돌아와 준 거냐?! 너희들 이 녀석 부하지?!!
헉— 헉—.
이봐, '장갑부대'. 적의 능력이라지만 너희의 배신은 명백하다!!

하아… 하아. 진짜 튼튼한 녀석이네…!!
치명상은 몇 번이나 입혔을 텐데!!
튼튼해서 짜증 나는 건 네놈도 똑같다!!
우웅!!
작작 하고 거기서 비켜라…!!!

라이브 플로어에서도 부하들이 다들 배반했다는 것 같군…….
내가 가서 덤벼드는 놈들을
몰살시킬 거다!!!
길을 열어주실까!!
철컥
'기계장치' …!!
철컥
팽그 팽그
'나선도'!!
키이—잉!!!
또 그 위험한 칼이냐!!
길은 열어줄 수 없어!!!
이 잉!!!
무슨 일이 생겨서 적이 배신했는지 모르겠지만 ……!!
보아하니 해가 될 건 없겠어. 다들 친구야!!!

쉿덩이 형님!! 도와줄까?!
여기는 됐으니까 다른 곳을 도와주러 가줘!!
우오오오
하하하…. 웃기고 앉았군!! 훼방 거리가 사라져서 잘 됐어.
ㅋㅋ ㅋㅋ…
팽글 팽글!
내 편은 이제 여기 없는 것 같으니………!!
팽글!
팽글!
엉?!! 그거 회전하는 구조냐?!!
으어── ──?!!
공룡이란 거 원래 저런가?!!
위──…잉!!!
휘잉
휘잉
휘잉

저 기술은!!
위험해. 도망쳐, 쉿덩이 형님!!
멍청한 것들…. 걱정해야 할 건…
키이이잉
네놈들 몸뚱이다!!!
?!!

'헬리
케라톱스'!!!
키이이이잉!!
촤악!!
촤악!!
끄아아악!!!

너희들!!!
서걱
으와아아
아아악!!!
촤악!!
끄아악
~~~!!
휘잉
휘잉
휘잉
~~~

쩨이이잉!
끄윽!!!
키이이잉!!!
콰콱!!
콰콰
!!!
엄청난 움직임이다!!
뜻밖의 공중전!!

트리케라톱스는 이런 공룡이다!!!
키이이잉잉!!
그랬던 건가.
저 프로펠러로 속도가 무지막지 올랐어!!
하아, 하아…
쿠쿠 쿠쿠..
팽글..팽글..
'돌진'인가. 그 속도로!!
어디 와보시지!!
'제너럴 실드'!!
앗.
부아앙!!
어?!!

어……!! 저 녀석 방금 프로펠러의 회전 방향을 실수해서
역주한 거지……?
쿠쿠 쿠쿠 쿠.

조주(助走) 거리
확보.
웃기시네!!!
닥쳐라!!! 조주거리가 길수록
위력이 강해진다!!!
슈웅!!
파
!!!
'탄환 케라톱스'!!!
광!!
쩌적!
위험해. 어깨에 장착된 런처가
폭발하겠어!!!
쩌적..

퍼
펑!!
?!!
이게!!
!!
터
엉!!
'제너럴'
'수플렉스'!!!
콰
아!!
!!!

후드득
튼튼하기 그지없는 너도!! 배에는 상처가 남았구나!!!
'프랑검'!!!
이걸로 끝이다!!!
번쩍 ─···!!
콰아앙!!
'승리의 V 플래시'!!!
푸
!!
키이이잉...!!
제길!!

키이이잉!!!
끄아앗!! 제기랄!!
키이잉!!
검은 그다지 특기가 ......!!
채앵!!

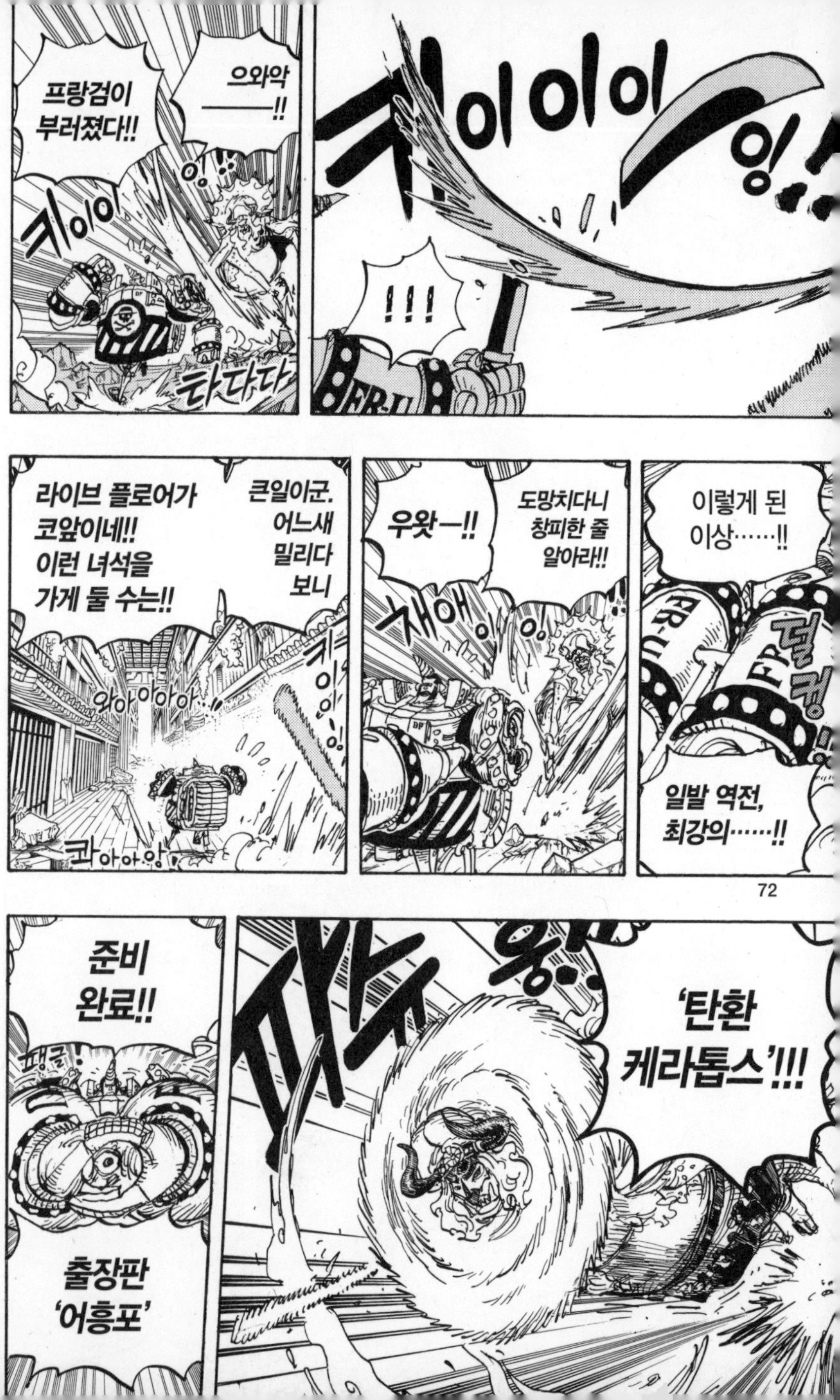
!!!
으와악 ——!!
프랑검이 부러졌다!!
타다다
이렇게 된 이상……!!
덜컹
일발 역전, 최강의……!!
도망치다니 창피한 줄 알아라!!
우왓—!!
큰일이군. 어느새 밀리다 보니
라이브 플로어가 코앞이네!! 이런 녀석을 가게 둘 수는!!
콰아아앙
‘탄환 케라톱스’!!!
준비 완료!!
출장판 ‘어흥포’

'제너럴
캐넌'!!!
!!!
두
웅!!

째릿!!
뭐?!
……쿨럭!!
공포의 상징
'백수 해적단'.
'토비롯포'를
……!!
얕보지
마라.

자폭도 좋다.
'매그'!! '넘케라톱스'!!!
키이이잉!!...
준비 완료.
키---잉!!
'래디컬 비~~~임'!!!
!!!
콰광!!!...
콰직 콰직...!!

'프랑키'
키이이—잉!!
?!!
두
!!!
캉

해골 돔
옥상——
너를 전력으로써
인정하고 있다. 야마토!!
쿠릉 쿠릉…
파직 파직…!!
워로로로!!
그게 부모가 할 소리냐!!
고생해서 손에 넣은 그
채이잉!!
빠각!!
'악마의 열매'도 딱히 네게 먹일 생각은 없었다…!!!

배가 고팠었지!!
나 역시 놀랐다 ……!!
크르릉
바다에 나가고 싶은데 맥주병이 될 줄이야.
셀 수 없을 만큼 너를 죽이러 가서
셀 수 없을 만큼 박살이 났다!! 덕분에 강해지긴 했지!!!!
…… …….
날 이 섬에 잡아둔 건 그 수갑만이 아냐!!

이 나라를 위해 싸우지 않고서는 …………!!

난 '오뎅'이라는
이름을 댈 수 없어!!!
두웅!!

(이시카와 현 · I♡OP 씨)

D : 킹은 먹고 마실 때 어떻게 음식물을 섭취하는 건가요?

P.N. 에피

O : 아—.
경단을
줘볼까요.

이럴 수가!! 입만
프테라노돈
으로!!
멋져요!!

D : 오다 쌤, 안녕하세요! 최근 원피스를 연구하는 유튜버분들 등이 많이 활약하고 계시는데요, 오다 쌤은 그런 채널도 보시나요? 원피스 마니아 중에 나쁜 사람 없음!!(웃음)　P.N. 맛슨

O : 존재에 대해 알고 있고, 이것저것 본 적도 있습니다. 다들 정말이지 빠삭하셔서 깜짝 놀라요. 연구도 말이죠, 그분들이 뒷이야기까지 맞추는 통에 일부러 안 봅니다(웃음). 그 레벨에 이른 분들을 독자라고 생각하는 것도 저로서는 위험한 게, 가볍게 읽어주시는 독자분들도 잔뜩 계시니까 모두에게 맞춘 ONE PIECE를 저는 그려 나가야 해요.
그렇게 이야기를 내다보는 분들을 보고 있으면,
그럼, 여기는 설명 안 해도 되겠지 하고 타락할 거 같아요(웃음).
그런 까닭에 빡빡한 체크도 하지 않으니까 재밌게, 또 사이좋게 즐겨주시길 바랍니다—.
아, 공식 YouTube '동료가 있어Tube'라는 것도 시작했으니까, 아무쪼록.

D : 오다 쌤, 안녕하세요!! 100권에서 카이도의 쇠방망이 이름과 의인화가 어떤지 알았으니, 야마토의 쇠방망이 이름과 의인화에 대해서도 알고 싶습니다!!!!

P.N. 코타

O : 네, 제 특기죠~! 이름은
'타케루(建)'라고 합니다.

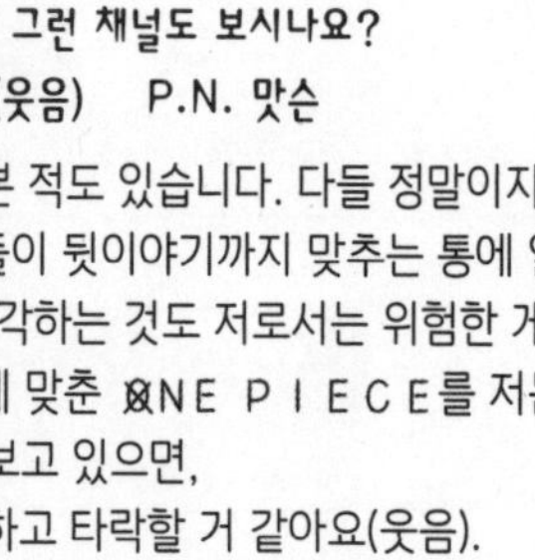

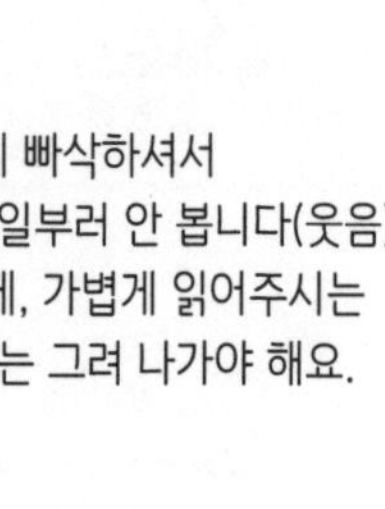

제 1020 화
'로빈 vs. 블랙마리아'

표지 리퀘스트 '덴지로가 거대 새우튀김을 먹는 꿈을 꾸면서 자기 리젠트를 씹는 모습'
P.N 420랜드

오니가시마
해골 돔
옥상
쿠릉 쿠릉…!!
'개개
열매'
환수종
모델
'오오쿠치노
마카미'!!!
귀중한
환수종이다!!
두웅!!

그건
'와노쿠니'의
수호신.
스스로를
'오뎅'이라 자처하는
녀석이 먹게 두다니
불찰이 따로 없군!!
——그러니
말하잖나.
나를 위해 와노쿠니를
지켜라!!!
푸콰앙!!
'수호신'
으로써!!

의미가 달라!!!
후두둑…
휘오오오…
하아… 하아….
오로치에겐 '악정'의 재능이 있었다…!!
이 나라는 '무기공장'!!
네가 부려먹고 지배해라!!
나는 그들을 해방시키겠어!!! 사무라이들을!! 이 나라를!!
스읍—
세계에 풀어놓을 거야!!!

화
'무시빙아(無侍氷牙)'!!!

와노쿠니를
개국하라!!
'개국'은
안 된다!!!
화륵!!
콰과아 아앙!!
'보로브레스'
!!!
!!!

결단코
말이다!!
하아.
크르르
르르릉
...!!
하아.

성안 3층
대연회장
와아아아
......
....
로빈 씨!!
정신
차리세요!!
로빈
씨!!
......
로빈……!!
빠밤
남의 말에
귀를 기울이지
말거라,
로빈!
....
......!!
어머니!!
이리 와!
로빈.
클로버
박사님!!
오랜만
이구나ー!!

사우로!!
보고 싶었다. 로빈!!
데레시 시시시!!
두웅!!
다들 왜 여기에?!
나도 보고 싶었어!!
나도야.
나도 그렇단다.
많이 컸구나, 로빈~~!!
안 됩니다. 로빈 씨 ~~~~!!!

——
그렇지.
유감이야…….
………!!
'트레스
마노'!!
'프리지아'!!!
콰콰쾅
꾸뉘엑
~~~!!!
까아아악!!
!!
두웅!!

……!!
왜 '환무
(幻霧)'가
누레온나
돼지코뱀 SMILE
꾸뉘—웅!!
넘버즈(NUMBERS)
쿠눈
왜
안 통하는
거지…?!
텐조사가리
백사(白蛇) SMILE
~~~

효과가 없었으면 말을 해주세요, 로빈 씨.
남의 기억을 가지고 놀다니 끔찍한 짓이야………!!
놓쳤어!!
둘 다 블랙마리아 님의 '환무'가 통하지 않는다니!!
으아——!!
다다 다 다다

어머나, 정말?!
콰차아아앙
끄악——!!!
이 저택 정말이지 무서워!!
쩌적 쩌적!!!

당신도 멀쩡한걸.
50년 동안 안개 속에서 동료의 전멸이 꿈이면 좋겠다고 ……………!!
매일 환상을 보면서 상처받았으니까요.
으허~~ ~엉…
으허~~~~엉…
우리 서로 닮은 꼴이네……!!
요호호. 어떠한 시련도 지금을 위해!!
'후리소데 와뉴도'!!!
왓하하핫!!
끄악──!! 또 그 이상한 무기!!
허억.
왓하 하핫!!
저 인면견이 불을 계속 일으키나 봅니다!!
와뉴도
퍼그(Pug) SMILE
허억.
데굴
데굴

대롱
환상을 보지 않는다고 했던가?!
으악——
——!!!

하지만 꿈이라면 꾸잖아!!
왓하하핫!!
카이도 님을 이길 거라는!!!

파앗!!
'스파이더 넷'!!
감사합니다~~.
쿠오오오오
왓하핫.
바닥이 불바다로!!
그런 식으로 싸우면 성 전체에 불이 번질 거야!!
적진을 걱정하는 거야? 고마워.
그럼 얼른 잡혀줘, 니코 로빈.
로빈 씨, 이대로 움켜안고 있어주실래요?
!
저 무기가 생물이라면……!!
휘유~
!!

'콜드 소울'!!!
쩌어엉
차가워~~!!!
끄아악~~~!!!
쩌정 쩌정!!!
와뉴도!!!
털썩!
콰차아아앙!!
이 녀석, 깨끗이 단념할 줄 모르네!!!
아!!

니코 로빈!!
모르겠어?!
아무리 생각해도 넌 동료가 팔아넘긴 거거든?!
!!
크오오오…!!
니코 로빈을 노리는 내 앞에 '검은 다리'는 본인을 불러들였어!!
'소울 퍼레이드'
'아이스 번'!!!
윽!!
!!
치이

온 세계의 거물들에게 표적이 된
너는 일당의 짐덩인 거야!!
그러니 쉽사리 불러낸 거겠지……!!
빠밤!!

구해줘!!! 로빈 야———앙!!!
두웅!!
……
……
'검은 다리'는 오니가시마 전역의 웃음거리야!!
현상금 액수는 No.2라며?!
일당의 실력도 뻔하겠네!!
요호호호호!!
상디 씨의 그건 걸작이었죠!!
로빈 씨! 이분은 당신에게
맡겨도 될는지?
고마워!
그러고 싶어!!
그 외의 '백귀야행'은 맡겨주십시오!!
와!
끄악
요물은 무섭지만요—!!!

상처 받았으려나?
— 아니.
그는 다정한 사람…!!
?!
상디가 날 의지해 준 의미를
당신이 알 필요는 없어……!!!
그야말로 해적왕의 양쪽 날개에 어울리는 남자.
'히간테 플루르'!!!
!!!
두
웅!!

와노쿠니 '토카게 항구'
고기가 부족해 ~~…!!!
이미 배의 식량 다 먹었다고, 너가!!
이런 데 고기 같은 게 있을 리도 없다!!
우오오오오오오오!!
빠방!!
바닷속에서 건졌다고?!
무슨 이런 기적이?!
그게 뭐랄까 목소리가 들려서…….
루피… 엄청난 강운이다. 정말 살아있었어….
너도 떨어진 거냐 ………….
카이도한테서 도망쳐 시노부의 연을 타고…!!

—하지만 루피…!! 그러기 위해 킨에몬이…… 키쿠가 눈앞에서
주룩 주룩
나중에 해!! 계속 그랬잖아. 너는 '대장'이야!!
!!
아직 도중이라구. 훌쩍거리지 마!!
카이도를 날려버리지 않으면 아무것도 끝나지 않아!!!
……!!
루피타로, 말이 너무 심해!!!

다음에는 절대 안 져!!!
시끌 시끌
………어? 아니, 저건…. '밀짚모자'인가?! 결전은 어떻게 됐지?
고기~~~~ ~~~~~!!!
알겠어. 찾아올게!!!
니네가 안 이기면 난 이 나라에서 나갈 재간이 없는데?!
똑바로 좀 하라고!!!
모모….
날 다시 한번 저기로 옮겨…!!!
쿠쿠쿠
쿠쿠쿠
두웅!!
엇…!!!
용이 돼서 ……… 날아주라.

(카나가와 현 · 하마네 씨)

D : 오다 선생님, 안녕하세요. 곧장 질문드립니다.
빨간 머리 해적단 동료의 이름 '럭키 루'
'벤 베크맨', '야솝', '록스타'
그 밖의 이름을 가르쳐주세요. P.N. 토끼 싸랑해

O : 빨간 머리 해적단은 이제는 산하까지 포함해
거대한 팀이니까요ㅡ.
정상전쟁 때 두웅 하고 나타난 사람들이
현재의 '간부'이며 루피를 알고 있습니다.

샹크스 벤 베크맨 럭키 루 야솝

라임주스 봉크 펀치 몬스터 빌딩 스네이크 혼고 하울링 갭 록스타

'록스타'는 실력자지만, 간부라는 직함은 아닙니다.

D : 홧홧홧!!! 오다 쌤, 쾌활한 킬러 씨도 좋지만
그래도, 혹시 실패하지 않았다면 어떤 스마일
능력자가 되는 걸까요. P.N. 420랜드

O : 아ㅡ 재밌네요ㅡ 그거.
확실히 SMILE 능력자는
성공인지 실패인지 아리송한 사람,
많긴 하죠ㅡ!
어디 그려볼까! 만약 킬러의
SMILE이 당첨이었다면~~?!
…이건… 정체가 뭐지…?!!

제 1021 화
'데모니오'

표지 리퀘스트 '세뇨르 핑크와 프랑키가 표범(바텐더) 가게에서 마시는 모습' P.N 호밀

두
웅!!
화났나 보네.
엄청 커질 수 있잖아?
체력 소모가 클 것 같아…♡
걱정은 필요 없어.
하아… 하아.
금방 결판날 거야…!!

‘시 서펀트’!!
!!!

젭!!
억!!
젭!!
놓치지 않아.
얌전히 붙잡힐 리…
!!!
츄와!!
없잖아?!!
!!

챠왓!!
본체에 대미지는 가겠지!!
콰슉!!
!!
——그렇다면 표적이 큰 만큼 수월하고!!
손의 수도, 크기도 ....!!
쌔애액!!
!!
휘잉!!
어머, 알아차렸어? 다리 끝의 독을.
'마리아 네트'!!!
끈적!! 끈적!!
끈적!
!!!

'꼼짝말란
마리아'!!!
!!
파악!!
욱!!
밤!!

격투가거든.
여자라고 해도
가차……!!
와락!!
없어!!
!!

'오이란 너클'!!!
뻐컥!!
윽!!
빠각!!
두콱!
악!!
아하하하.
패는 맛이
있네,
커다래서!!
퍼버억!!
………
……!!

어머♡
사락
도망치기야?
사락
!!

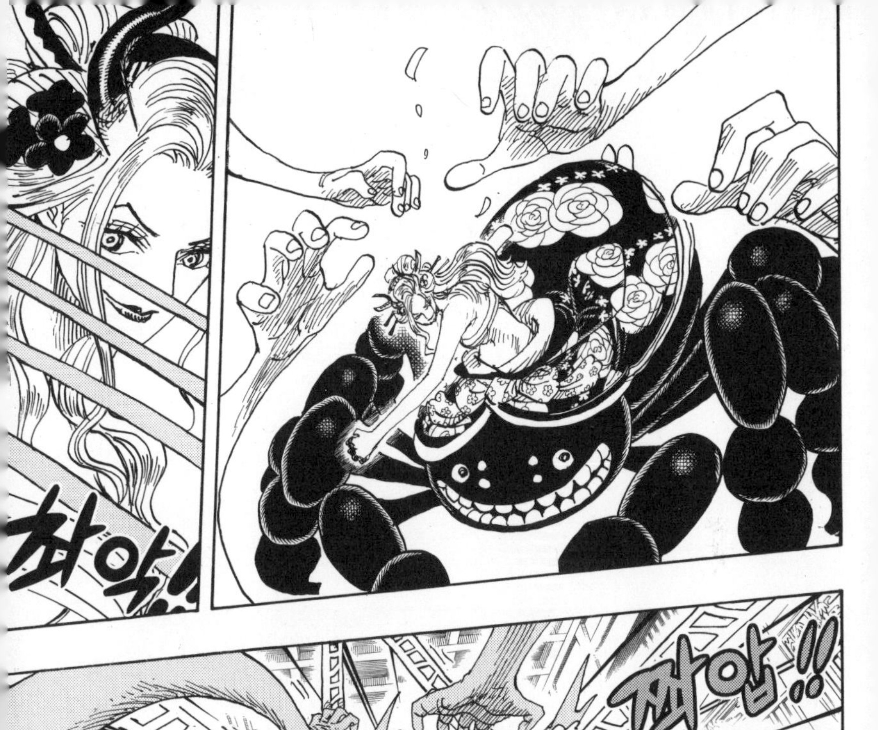
촤악!!
짜압!!
!!
'멈춰서란
마리아'!!!
짜압!!

후후.
내 실은
가연성이야♡
화륵

화르륵
'타오르란 마리아'!!!
!!
금방 승부가 날 거라며?!
꼴사나운 '검은 다리 상디'의 추태를 감싸고선…!!
……!!
그쪽이 지면 결과적으로 둘 다 그냥 멍청이잖아?!

어디 피워봐!! 이 불바다에!!
불 속에서 꽃이 피긴 하던가? 우후후후♡
짜악!!
윽.
아차…!!
가샤도쿠로한테 또 불 꺼달라고 하려고?!
아아아아
!!
——바보 같은 말이 들리는군요…. 블랙마리아 씨.
제가 만약 당신이라면… 거기서 달아날 겁니다……!! 요호호호.

뭘 할 수 있는데?! '악마의 아이'!!
아까 말한 대로지?! 너는
동료들의 짐짝이야!!
세계의 거물들이 노리는 건 바로 그 '뇌'!! 팔과 다리는 필요 없어!!
!!!
두펵!!
빠킥!!
인격도 필요 없어!! 살아있으면 그만인 단순한 도구지!!
빼걱!!
………
……!!
여차할 때는 타격이야!! 펀치!!
따귀는 안 돼?
상대는 죽이려고 덤빌 건데?! 손바닥 치기는 어때?
이 손바닥 부위로… 빽!!
'용조권'을 가르쳐 줄까? 로빈!!
강요하지 마라……. 로빈은 관절기로 충분히 강해.
하지만 헤어지면 우리가 지켜주지 못한다구!!
——그러니까 강하다고 했잖아.

…후후후.
그럼
조금만….
가르쳐줄래?
'손바닥'.
오케이――♡
우오오오오
빠각!!
……!!
하아.
분명
몇 번이나
도움이
됐지.
'히간테스코
마노'!!
하아….
퍼엉!!
그리고….
상대의 핵을
간파하는
거야!
이거 비장의
무기야!!
로빈 언니.
똑같은
손바닥이지만
'어인
공수도'
비기!!
일단은…….
'밀 플루르'
'어인
공수도'.
쭈욱
쭈욱
엇.

'기간티움'!!!
?!!!
콰아앙!!

어디에 공격을!!!
후둑 후둑…
………
설마……!!
후둑 후둑후둑!!
까아아악!!
콰장창!!
아뿔싸, 불이 꺼졌어!!
후두둑…
어…?!

!!!
'데모니오 플루르'!!
……악마?!
악마도 될 수 있어.
정말 필요로 해주는 사람들이 있으니까……!!
의지해주는 사람이 있으니까………!!
하지 마. 뭐야 그 모습!!
팔과 다리는 필요 없어…?
꺄아악!!
아니!! 내가 아니라…
필요 없는 건 너………!!
'그랜드 자쿠지 클러치'!!!

빠각빠각
아아아
아악!!!

어?! 뭐야?! 방금 그 소리.
뭐야, 조금 전 목소리?!
웅성
얼음이 방해돼서 안 보여!!
가샤도쿠로 자식~~!!
무슨 일 있는 거예요?! 블랙마리아 님!!
불쑥
불쑥
설마.
쿠구구구구구
어!!
블랙마리아 님?!!
쩌리잉!

째릿
꺄악—!! 악마?!
?!
후두둑…!!
콰장창!!
정렬해주셔서 감사합니다 ~~~~♪ 요호호♬
—그럼 '프라즈 다르므' ~~~~~!!

'오케 스트라' ♪♪
파
이잉!
꺄아악~~~ ~~~~~~~~ ~~~~~~~!!!

오오오
조금……… 지치는걸.
어이쿠, 로빈 씨!!
털썩..!!
우동 '토카게 항구'──
시끌 시끌
진짜 이해한 거 맞아, 댁네들?!
그건 내 한 달 치 식량이야!! 확실히 돌려주지 않으면 곤란하거든 ~~~~~~?!
두 웅!

이만한 양의 음식을 용케……!!
내 늪늪의 힘은 바닥이 없다고오~~~. 케히히히.
'밀짚모자'! 힘이 솟아났으면 오니가시마의 상황을 알려다오!!
우리 선장이나 베포, 다른 사람들은 어떻게 됐어?!
흐가그압 우쩌쩝 우옴뇨놈!!
우걱 우걱!!
와구 와구!!

가능하지만 서도!!
왜 그런 바보 같은 짓을!!
시끌 시끌
저런 위험한 곳에는
쿠쿠 쿠 쿠 쿠..
두 번 다시 보내드릴 수 없습니다!!
하지만……!! 이대로 가면 '꽃의 도읍'이… '와노쿠니'가 멸망하게 돼……!!
한 번 하면 두 번 다시 이 모습으로 돌아올 수 없어요. 마음은 아이인 채로!!
상관없다!! 커다란 용이 될 수 있을지도 모른단 말이다!!

부탁이다, 시노부. 너의 '숙성숙성 술법'으로……!!
이 몸을 '어른'으로 만들어다오!!!
펑!!

(토치기 현 · 부장 스케 씨)

D : 페이지원에게 그나마 나았던 울티의 어미(語尾) No.1과 워스트원(Worst One)을 알려주세요!! P.N. 루나

O : 뭐―, 예전에 '~하나이다'를 소개해 드렸는데,
확실히 오랜 시간 함께 지내면서
여러 어미가 있었던 모양입니다.
'~할지어다', '~하마하게', '~로소이다', '~말차', '~입니다요',
'~감자', '~라니깐', '~이에욥', '~하다 해', '~파키케팔로',
'~래여', '~티', '~롯포'… 끝이 없습니다만,
최악이었던 어미는 '~드래곤'이라는 듯합니다.
그나마 낫다고 생각한 적은 한 번도 없는 듯합니다.

D : 안녕하세요, 오다 선생님. 왜 오다 선생님은 ONE PIECE의 'O'에 곱표(X)를 붙이는 건가요? 해골의 곱표인 건 알겠습니다만, SBS 같은 데서 'Ⓧ'로 표기된 경우가 있어 궁금합니다. P.N. 할배의 의인화

O : 그냥이요!! 그런 거 아무래도 좋지만, 엽서 구석에
요상한 게 있구마잉!! '도플라사과'라니! 'by 누나'라니!
너가 보낸 엽서, 누나가 낙서해버렸구마잉!(웃음)
도플라사과 최고여!

D : 하―이, 오다 쌤!! 동경하는 SBS에 채택해줘서 **영광 & 감동스럽기 그지없단 마리아** 그 자체예요!! 그건 그렇고 왜 블랙마리아의 기술 이름은 하나같이 절묘하게 촌스러운 거죠? P.N. 요프쇼프

O : 싫으신가요? 저대로 멋이 무너지지 않고
싸우길 바라셨나요? 전에도 말씀드렸는데,
그런 약간 촌스러운 약점이 있기에
사랑스러운 거 아니겠어요~?(웃음)

제 1022 화
'주연 등장'

표지 리퀘스트 '수국 속에서 숨바꼭질하는 개구리와 톤타타의 난쟁이들' P.N 요프쇼프

와아아아아 아 아아
'백수 해적단' '3만 명'에 대적하여
'사무라이 해적 연합군' '5400명'이 습격!!

—그 병력 차는 오타마의 '수수경단 작전'과
후즈 후
블랙마리아
페이지원
울티
사사키
사무라이, 해적들의 선전으로 점차 좁혀져—
피리디잉!!
강대한 적 간부 '토비롯포'는
전멸!!!

'와노쿠니'
본토 상공
'오니가시마'
——
와아아아 아아 아아
쿠쿠쿠쿠 쿠…
'꽃의 도읍'
도착까지——
앞으로
15분!!
와아아아아아 아아아…!!

성안
3층——
불이다—!!
왁
오..!!
쿠로즈미
오로치를
..........!!
하아,
하아.
쿠오오오오
그런 남자를
왜 섬겼나,
후쿠로쿠쥬!!
헉,
헉.
그악
불을 꺼
~~~.

인법
'분신술'!!!
카——
—잇!!!
파악!!
우리는
그 시대의
'쇼군'을 받들어
섬기는 닌자!!
파악!!
인법
'귓불
크래커'!!!
파악!!
~~~

네놈이 섬기는
남자는 어떻지?!
'망령'이
아니더냐!!
오뎅 님을
말하는
거냐?!!
도고로롱!!
본체는
거기군!!
바악!!
!!!
흐왓!!!

네놈처럼 감정이
다 드러나는
남자에게
'닌자'는 당최
무리였던 것이다!!
아무리 '인술'이
뛰어날지라도
말이다!!
…감정이
있기에
?
우리는
족하다!!!
?!

소인들은 그날!! 함께 울고 함께 웃은
오뎅 님과 함께 죽었다!!
지금은 그저 주군의 바람을 이루기 위한 망령일 따름!!
이걸 임무라고 부르게 두진 않겠다!!
우리 각자 한 사람이!!
감정이 있는 ※충복이기에!!!

※충복 : 어떤 사람을 충직하게 받드는 사람

싸우다 죽어도 좋다!!!
오늘!! 오로치, 카이도라는 밤이 끝나고 휘황찬란한 태양이 떠오를 것이다!!
…….
모모노스케 님이라는 '쇼군'을 얻어서!!

성안
3층
호킨스!!
네 녀석
'바꿔치기'를
몇 개나
넣어둔 거냐!!
킬러
vs
호킨스
하아…
하아….
얼마
안 남았다….
위험하군….
후후후.
그 목숨
동정하마.
!!!

얼마
안 남았지만…
중요한 건…
스륵
츄왓!!
누구의
목숨인가…!!
뭐?!
성안
2층
로, 키드
VS
빅 맘
이봐,
갑자기
왜 그래?!!
쿠구구
구
유스타스?!!
으윽……!!!
털써억!!

두근…
두근…
뭐지?!!
갑자기 찔린
상처가
………!!!
설마……!!
그 짚인형
………!!!
……
…….

네 손으로 본인도 모르는 채 키드를 죽이게 두는 것도 술기운의 여흥으로 괜찮겠지만……!!
빠드득…
손댈 수 없게 된 너를 관망하는 것도 재밌지 않겠어?
네가 나를 처치할 수 있는 때는…
와아아아아아
네 손으로 캡틴을 죽였을 때다………!!
…………
……!!
……자, 흥겨워해라. 거리낄 거 없다!!
홧홧홧!!
취미 한번 좋구나!!!

해골 돔
'라이브
플로어'
끄악—
—!!
우와아
아악!!
와아아아아아
끄악
와
이봐,
전직 백수
해적단
쓰레기들!!!
배신자가
된
대가는
아아 아 아
으아
~~~!!
우웅!!
상고로 씨!!
괜찮아?!
저 녀석들,
조로주로를
찾고 있어!!
와아아아아 아아..
제길…!!
두 사람은
버겁군………!!
헉—
헉—.
누가
저놈들을
막을 수
있지?!
플로어가
전멸해
버리겠어!!!
~~~

비싸게 치를 거다.
와아아아
끄아아악 ~~~~!!!
마르코 씨는?! 어떻게 좀 해봐─!!!
그는 이미 몸이 한계야!! 우리가 싸울 수밖에 없어!!
두웅!!
약 효과가 없으면 그 초록 미라 데리고 떨어져 있어!!
쵸파, 미야기!!
벌써 약은 놨는데…!!
조금 더 시간이 걸릴까?
애당초 중태라서 말이죠…!!
힘내는 게다, 조로!!
두근
두근

나는
여기 있다!!
앙!!
흐억—!!!
콰
상고로 씨
~~~!!
우오오오
롤로노아
조로를 찾아내
숨통을 끊어라!!
수상한
치료를
하는 것
같다.
그 녀석이
회복하게
두지 마라!!
우어어
—!!

와아아아앙
괴물
놈들이…….
끼릭
끼릭
전장의
먼지가 심해서
잘 안 보여!!
빈스모크
상디는
내가
없앤다!!
할짜락♪
네놈이
푸딩과 결혼했으면
이런 놈들과 손을 잡을
일도 없었어!!
끼릭
끼릭
저 녀석입니다,
나리!!
쿠웅
그러냐
……….
터엉!!
할짜락♪
뒈져라!!
끼리릭
제르마의
반편이!!!
~~~

밖으로 나와라아 ~~~~!!!
페드로의 원수 놈!!!
뿌헤게거버!!!
아아아아악!!!
안 놓친다니.
찾았다. 롤로노아 조로다!!!
발각됐다. 도망쳐──!!
조로주로를 지켜──!! 명예로운 부상자다!!

으악──!!!
킹이다아
~~~~!!!
빠
밤!!
와악──!!
그만두거라─!!
제길!!
성가신
마리모 녀석!!
화륵!
'불사(不死)
엉겅퀴'!!!
'염황
(炎皇)'!!!
?!!
!!!
~~~~

들은 적이 있지…. 머나먼 옛날….
붉은 벽 바로 그 위에… '발화'하는 종족이 살고 있었답니다….
'화재'의
'킹'이라….
…….
와아
아직 살아 있었냐, 마르코오!!
아아
설마 그…
쿠구우…웅
…….
냉큼 뒈져버려, '흰 수염 해적단'!!
화륵
그래… 항복!! 이미 의욕은 가셨어….
나는 여기까지야 ………!!
?!!

우지직 우지직우지직!!

'주연'
등장이다!!
씨익…
저것 좀
봐!!
우오오오오오
우와──!!
부활했다아
~~~~!!!
'참수'!!!
'삼검류'
……!!
'디아블'
……!!
'연옥
도깨비'…
'무통'
?!!
우오오
~~~~
~~~!!
'밀짚모자
일당'~~
~~~!!!
우오오오오오

'샤'!!!
!!!!

야, 뱅글뱅글. 이 싸움을 제압하면,
그래, 보이겠지….
루피가 '해적왕'이 되는 모습이!!!

(홍콩 · 420랜드 씨)

D : 자, 여러분! P.N. 미이 양의 출제 문제예요!! 이거 나도 알 수 없었으니까 힌트 드립니다. 이건, 어떤 유명한 한 장면을 떠올려보면 알 수 있어요. 답은 아래에!!

메시지를 해독하라!
밀짚모자 애너그램

어라? 밀짚모자 일당이 간판을 들고 서 있어.
하지만 몇 명은 없는 것 같아. 게다가
제각각 서 있는 탓에 메시지가 전해지지 않아!
루피 왈, '우리를 순서대로 맞춰 세우면 어떤
사람에게 전하는 메시지를 읽을 수 있다'고 한다.
자, 순서대로 맞춰 메시지를 해독하자!

힌트1… 여기 있는 멤버로 모험한 곳은 어느 나라일까…?
힌트2… 단행본에 실려 있는 '어떤 순서'대로 바꿔 세우면
메시지를 읽을 수 있어.

P.N. 미이

못난 그림이라 죄송해요

12살

정답 '앞으로도 동료'
23권 '비비의 모험'에서 마지막 X표를 내보인 순서(왼쪽부터)
조로 → 쵸파 → 우솝 → 루피 → 나미 → 상디

제 1023 화
'판박이'

표지 리퀘스트 '참새들과 즐겁게 노래하는 비비와 이 모습을 보고 질투하는 카루' P.N 아리

도옹!!
와아 아아아아아아아 아아!!
조로주로가 부활했다아 ~~~~!!!
상고로 씨, 해치워버려!!!

우와 오오오오!!
퀸!!
킹──!!
정말 상처가 나았어!!
뒷일이 무섭습니다만……!!
빠방!!

저 자식들, 우리 대간판을!!
관두시지!!
으악!!
츄왓!!
그렇지. 카와마츠…!! 여보게, 두목들!!
이 결투에 가세하려고 생각하지 말게나!!
효고로 두목!! ──하지만, 상대는 '대간판'!!
적도, 아군도 모두 저 싸움에 다가가선 안 돼…………!!

봐라……!! 방해만큼은 하지 말라고 얼굴에 쓰여 있잖은가!!
쿠구구구…!!
…… …….
'레드라인'의 위는 마리조아라구.
아니, 훨씬 더 옛날이다….
…… …….
그 위에는 '신의 나라'가 있었다고 하더군………!!

싱거운 이야기하지 말라구, 아버지.
이봐, 마르코!!
그하하하하…!!
카앙!!
카랑!!
으악!!
왜 멍하니 있어?! 전장이라고!
헤헤…!! 네 도움을 기다렸지.
실없는 소릴!!
이조, 너… 신을 믿나?
…………!! 술주정 부릴 때의 '아버지'냐?!!
와아아아아아

YO!! 형씨들……!!
쓰러트릴 수 있는 양 굴면 못 써.
하나도 먹히지 않았으니까….
'가뭄해', '역재', '화재'!! 우리는 카이도 씨를 지키는 세 가지 재해!!
와아아아아아아아아아…!!
…… …….

쓰러트릴 수 없으니까 '대간판'이다!!!
……윽!!
투확!!
콰콰콰콰아
파팟!!
!!
?!
왜 그래, 너.
—아니, 아까 레이드 슈트를 세 번째로 입었던 즈음부터…
몸이 어째 좀….
—야, 발목 잡으면 안 된다?
나쁘다고는 안 했잖아.
'이상'하다고.
눈썹이?
'몸'이라고 했지?!!
……
철컥!!
빛 '하나'!!
채앵!!
!!

'브라이덜
그래퍼'!!!
화륵!!
!!
콰앙
빛
무효!!
므하하~~~~~!!
저지의 아들내미!!
너희 꼬맹이들 다
'사이보그'라면서!!
GERMA
66
돌았구만,
그 자식!!
그 불타는
다리가
머신이냐?!!

와아아아아아아아아……!!
공교롭게도 나만은 '인간'으로 컸다!!!
사람한테 불이 치솟냐?! 멍청한 놈!! '루나리아족'도 아니고!!!
…….
힐끔..
가능해. 내 정열은 ……!!
불꽃의 온도를 뛰어넘는다!!!

바다짐승 요리도 식은 죽 먹기다, 공룡 자식아!!!
베가펑크도 못 만드는 '사이보그'의 진수를 보여주마아!!!

한눈팔지
마시지,
검정 미라!!
챙
채
채앵!!
처억!!
!!!
뭐야,
그 칼날!!
윽!!
찰칵!!

!!!

과연…… 살육 머신 …………!!
싸움에 유파나 형식이 필요한가?
그래, 확실히……!!
콰콰악..!!
검사라고 소개하지는 않았지.
띠리잉!!
마음대로 해라!!
나도 결판나는 그때는!
네 목덜미를 물어뜯고 있을지도 몰라.
…… …….
질 수는 없거든…!!!

와! 콰과아앙.
효고로 두목….
소인은 히요리 님이 저 사내에게
'엔마'를 넘기겠다고 하셨을 때…!!
채잉!! 채잉!!
!
끝내 말리지 못한 이유가 있었소…!!

그래,
이해한다.
…해외에서 온
해적일 터인데
……
신기하군….
녀석은…
젊은 날의
'링고'의
다이묘,
시모츠키
우시마루와
판박이…!!
그렇습니다!
검놀림까지도
말이오!!
우시마루 님은
'도신(刀神)'
시모츠키 류마의
자손이자
대검호!!
녀석이
'슈스이'를
와노쿠니에
돌려준 것조차
운명으로
느껴집니다…!!
'류마'가
애꾸눈의
사무라이였던
점도
포함해……!!!
웅…!!

보물전
2층——
잭 씨에게
가세해——!!
와아아아아아아아!!
쿠구우웅!!
콰직
콰직
보내지
마라——!!
빠우우웅~!!!
이제
한계겠지.
잠들어라,
'낮의 왕'!!!
'사무라이는
없다'며
거짓을 관철하고
멸망한 네놈들의
나라를!!!
이제
용서해주마!!!
헉…….
헉…….

헉—
헉—.
그때 라이조를
죽게 내버려
뒀다면……!!
우리는
그것이
수치스러워,
헉—
헉—…….

터덩!!
두 번 다시
'와노쿠니'로
돌아오지
못했을 거다!!
오뎅 님의
기일로부터
하루하루가
콰악!!
!!
이 결전의
날을 향한
확인
이었다!!!
콰장차앙!!!

신에
맹세코
라이조란
자는
모른다!!
만약
있다면
배를
가르마!!

우리는 20년 동안 계속 물음을 던져왔다 …………!!
쿠구구구구
'너는 아직 오뎅 님의'!!
…… …!!
'사무라이인가?' 라고!!!
어떻게…
'스론'으로 ……?!
천장에 구멍…?!!
콰앙!!
아슈라~~~!!!
크르르…
천 년을 이어온 도시가 멸망할지언정!!
세계에 '새벽'은 찾아온다!!!
다다르지 않을 수 없었던 이 결전!!!
—누가 죽든 이 싸움에 이김으로써!!

해골 돔
정면 입구
와 그윽
페로스페로
……?!!
와아아아아아…!!
쿠광…앙
페드로가 없었으면 루피 일행은 여기 못 왔을 게다!!
이 '습격'은 실패했을 테지!!
……
…….

네코마무시 나리…!!
보름달이 예쁘다니.
페드로, 잘 보라.
술이라도 들이키면서 말이다냥.
들썩…들썩…
……!!
'스론'!!
그렇지마는 할짝남!! 너가라가 보는 달은
오늘 밤이 마지막이래!!!
콰오오옹…!!
퍼러엉!!!

성안 2층──
하하하. 오뎅이 죽은 지금………!!
어린애나 섬기는 네놈들 '망령'도 우스운 꼴이구나!!!
닥쳐라. 젊음을 비웃지 마라!!!
타타 타 타타!!
띠리 딩!!
우리 따위가 '사무라이'가 된 것처럼!!
사람은 반드시 성장한다!!
모모노스케 님의 성장은 '와노쿠니'가 지켜볼 거다!! 그러니!!
…… …….
네놈들이 뺏게 두지 않는다!!!
도로롱!!!
'우동' 토카게 항구
에에엑~ ~~~~!!
꺄악!
첨버-엉!!
왜 여기에?!!
카이도가아 ~~~!!!
할 수 있을까?! 우리끼리!!!

'밀짚모자' 위험해. 거리를 둬 ——!!
…… …….

…… …….
이 몸은 먹을 것이 아니다!!
잡아먹히느니 잡아먹어주지!!!
물럿거라 ——!!!
모모구나.

크르르
……
…!!
그렇소!!
뭐라고?! 아까 그 꼬마??!
어떻게 된 거지?!
모모노스케 님의 희망대로…………!! 이것은 28세의 모습!!!
…… …….
슬렁 슬렁!!
으에엥~~!!
그런 것도 가능해? 근데 왜 울어?
그렇지만……!!
으허어어엉
모모노스케 님
그 모습!! 마치……!!
으에에에엥
가자, 모모!! '와노쿠니'를 되찾으러!!!
떠리잉!!
물론!!!

(니이가타 현 · 아자라시 씨)

D : 오다 씨, 알려주세요. 프랑키의 40세, 60세
무슨 일이 생긴 미래를 그려주세요.　　　　P.N. 나미 싸랑해

O : 근데 프랑키는 이미 36이니까ㅡ 50, 70으로 합시다.

D : 어째서 '히간테 플루르'를 쓴 로빈의 가슴팍에
영문을 알 수 없는 무늬가 그려져 있을까요?
기대했었는데… 이런 분노를 느낀 건 이번으로
두 번째입니다. 용서 못 해요.　　　　P.N. 니쿠치키

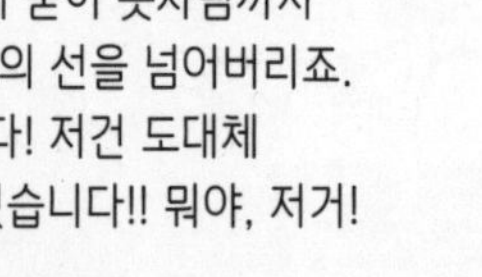

O : 겨… 격분…!! 첫 번째는 블랙마리아가
무명천을 휘감고 있었던 거죠…… 이건 분노에 찬
의견을 수두룩이 받았습니다. 우선 블랙마리아의
무명천은 '거미줄'이라는 사실을 설명해 드립니다.
로빈에 관해서는… 옷 또한 로빈의 몸의 일부로
만들지 못할 것도 없습니다만 그만한 크기로 커질 때 굳이 옷차림까지
본뜨는 수고를 들일까 싶지만서도, 알몸은 소년만화의 선을 넘어버리죠.
곤란해진 저와 로빈 양이 내놓은 답이, 저 무늬입니다! 저건 도대체
무엇인가요? 여러분의 견해를 SBS에서 기다리고 있습니다!! 뭐야, 저거!

성안 2층——
으와아악!! 왜 그래, 너희!!
와아아아아아아아
쿠구구구…
'패왕색' 패기?!
제1024화 '아무개'
무리도 아니지….
쿠구구…
어중간한 각오로는…
내 앞에서 의식을 유지 못 해!!
'토비롯포' 2명을 해치운 남자!!
'2포(胞) 사냥의 우소하치'란 바로 나란 말씀이야!!!
엑~~~~~~~~~~~!! 두 명이나?!
싸우려 하지 마. 배신해버려——!!
같은 층에서 빅 맘이 싸우고 있는 덕이야.
'패왕색'의 여파로 병사가 쓰러지고 있어…!!
저기! 루피 어떻게 됐는지 알아?!
프랑키!!

해골 돔 '우뇌탑'
아니, 모르겠는데!!
아까 모모노스케가 한 말이 전부겠지!!
모모랑 같이 있을
시노부 하고도 연락이 안 돼!!
무소식이 희소식인 증거야!!
정말—. 뭐야, 그게!!
할 일 다 했으면 아래로 와!!
뭔지 모르겠지만 적이 점점
라이브 플로어로 몰려들어 온다!!
아래로 도망쳐!!
와아아아아아아아아…!!
카하하하
우당탕

라이브 플로어로 보내지 마!! 조로와 상디가
대간판을 상대하고 있어!!
명령하지 마, 아이아이 ~~~~!!!
동맹은 대등하다구!!!
와아

성안 3층——
슬슬 위험해!!
라아아아아아아아
불길을 감당 못 하겠어!!!
라이브 플로어로 피난해!!
아아~~ ~~~!!!
푸콰아앙!!!
뜨거운 느낌이 든다 ~~~~~!!!
전 이미 화장이 끝난 상태지만요—.
아니, 누가 화장됐다는 겁니까!!

시체 남작!! 무사한가!!
어이쿠야, 안에는 더 이상 못 있겠어요!!
로빈 씨가 불타겠어!!
전황!! 좀 아십니까?!
아니, 완전히 패닉이라서 ………!!!

성안 4층 키드 해적단
징베 씨, 징베 씨!!
와아아
3층은 결국 불바다가 될 겁니다!!
이 틈에 아래로!!!
화재인가. 그거 큰일이구먼!!
──하지만 위는……!! 카이도는 누가 막고 있지……?!
성 바깥 '라이브 플로어'
적이 성안에서 쏟아져 나온다!!
와아아아아아아아!!
두두두두두!!
길을 열어, 사무라이 놈들!!
여기는 우리들의 성!!!
우리의 라이브 플로어다!!!
플로어로 들이지 마!!!
와아아

밀어내라
~~~~!!!
와아아아아아아아아!!
쿠구궁..
쿠오오오…!!
뚜욱
뚜욱
하아.
하아.
'우는살'!!!
채이잉!!
!!!
~~~~

?!
'금강(金剛)'
파앙!!
'살'!!!
!!!

콰과과과!!
욱!!

콰과아앙!!
후욱…
하아…
하아….
하아….
넌
항상……!!
날 죽일
작정이었어!!!
헉…
헉….
그래…
맞다.
부모 자식 간
싸움이 아니다….
오뎅의 이름을
짊어지겠다면
'전쟁'을 각오해라.
놀이가
아니란
말이다,
야마토!!
동경심이
죄야?!!
나는
오뎅이
좋아!!!
하아…
하아….

카이도 씨!! 오니히메 님이 일주일이나 날뛰는 통에………!!
콰장창!!
와!
끄악!
?!
나는 오뎅이야———!!!
사슬을 풀어줘, 아버지!!
나는 오뎅이야!!
코즈키 오뎅이야!!
…… …….
나는, 하아… 하아….
하아… 하아…. 오뎅이야…!!
두웅!!!
하아… 하아….
야마토……. 이것은
네가 한 거냐……?

몰라.
…멋대로들
쓰러졌어.
배가
고파서
죽을 거
같아…!!
밥 줘….
꼬르르르르르륵
쩌러엉!!!
'패왕색'
인가.
유망
하군….
──하지만
'오뎅'을
자처하겠다면
죽어라,
야마토.
엑~~~~~!!!
바위굴 안에서
머리를 식혀라!!
한 달의
유예를 주마.
엑?! 한 달?!
암만해도
죽고 말 겁니다!!
게다가
안에는 흉포한
사무라이들이
수감돼 있고.
꺄아아아아아아아…
天
으앙──!!
기다려!!
왜 이런
깜깜한 곳에!!
와앙아아아…
철컥!!

'와노쿠니'의 대검호들, 너희도 마찬가지다…!!
내 '전력'이 되겠다면 꺼내주마.
마음이 바뀌면 천장의 공기 구멍으로 소리쳐라……!!
…… …….
벌써 며칠이나 못 먹었지…?
째릿:
여기에 밥을 가져다주마…!!
번뜩:
1인분만 말이다.
무기도 필요하겠지.
챙강!!
철그렁!!
엑?!
아버지 ………!!
난 카이도의 아이잖아!!
미움받을 게 뻔해!!
죽임당할 거야!!!
너는 '오뎅'이라며?
!!!

빠 방!!
!!
꼬르르르르르륵
……
…!!
오뎅이지만
………
오뎅을 죽인
카이도의
아들이다.
사무라이에게……
미움받는 것쯤은
알아…!!
꼬르르르륵
꼬르르르르르르륵-!!
살육전을
시키려는
거야.
밥을 서로
빼앗게……!!
아니…
그 전에…….
척
움찔!!
덥석!
나를
죽이겠지…!!

터억…
?!
먹으려무나.
어?!
사무라이는 배 따위
꼬르르르 르르르륵…!
!!
고프지 않은 법이다.
쩌
엉!!
어?! 진짜?
……!! 나는 배가
꼬르르륵
고파요……!!!
사무라이는 굉장해.
배가 안 고파?!
먹어라…. 대단한 집안에서 태어났구나….
…… …!!
와구 와구
우물 우물
으적 으적
쩝 쩝
흐엉
흐엉…
뚜욱 뚜욱…

쩝
쩝
고마버요. 사무라이 아저씨들…!!!
와작 와작
나는 이 밥,
평생 잊지 않을게요……!!!
흐엉 흐엉
저기………!!
배가 고파도……
사무라이가 될 수 있나요…?
쩔그렁!
나는…!!
채이이잉!!
너는 '코즈키 오뎅'이라면서?
듣고 있었다 ………!!
소인들도 그 사내를 아주 좋아한단다.
벅
벅
어…? 친구……?
쩔그렁!!
사무라이 아저씨… 이름은?
패배한 사무라이의 이름이라……. '아무개'라고 불러다오.
후후…….

……이 '일지'를 읽고 싶은데
어려운 글자가 많아요.
오뎅의…… 항해일지?!
!!
오뎅 만유기
이거 원… 열흘은 지났나….
꺄하하하.
떠들썩 떠들썩
야마토… 네 아버지는…
진짜로 자기 애를 죽일 셈인가….
…… …….
——이래선 오뎅이 말한 20년 후의 싸움을 지켜볼 수 없겠군………
…… ….
나는… 그때는 '와노쿠니'와 함께 싸울게….
바다로 나가서 더… 더… 강해져서……!!

──그거
든든하군….
…그럼 소인들은
너를 여기서 '죽게 두지 않음'으로써 미래의 싸움에 참전토록 하마.
20년은 소인들에게는
좀 기다리기 힘든 세월이니 ………!!!
?!
!!!
사무라이 아저씨!! 그런 짓 하면 아버지가………!!
이대로 쇠약해져 죽는 것은 사양일세!!
애당초 굴복할 마음 따위 없을지니!!
카이도 니임 ~~~~~~!!!
아마노이와토(天岩戸)가 박살났습니다아 ~~~~~~!!!
꺄 악
콰장창!!
……
…!!
크르르르르…
나한테도

믿어주는 사람들이 있어!!
인정해주는 사람들이 있어!!
왜 나의
자유를 빼앗지?!!
파직 파직
왜 와노쿠니의
자유를 빼앗아?!!
파직
……
…!!
일문일답으로 움직이지 않는다, 이 세상이란!!
파직
풋내기 녀석!!!

'뇌명팔괘'
!!!!

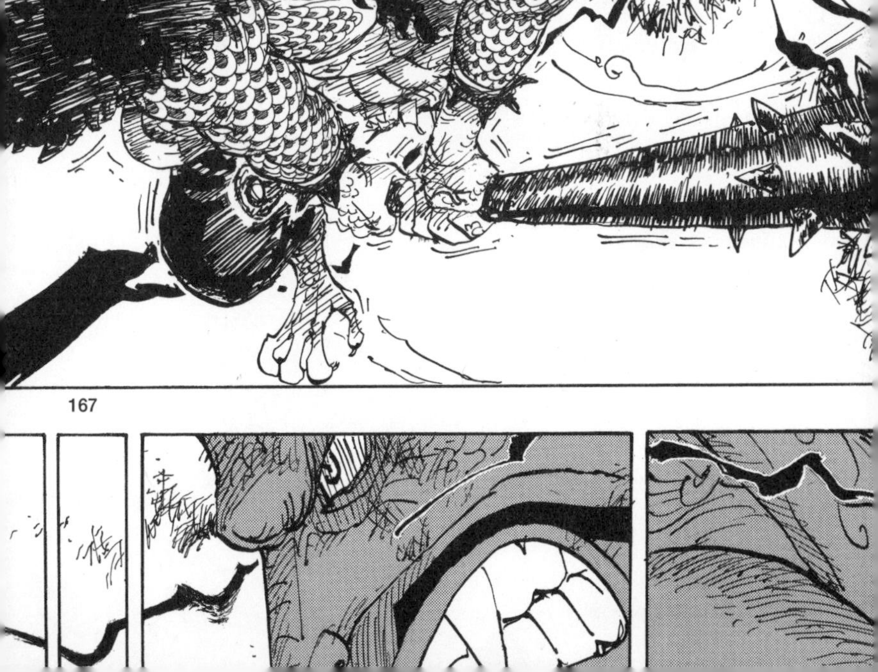

(나라현 · 호시카나 타이가 씨)

D : 오다 에이치로 님, 제1024화 무척이나 흥미롭게 삼가 정독하였습니다. 자신을 아무개로 칭하는 양반은 조로 공의 아버님이 아니시온지? P.N. 로로미키

O : '아무개' 씨에 관한 질문도 많았네요ー. 당사자가 얼버무리는 것을 말하자니 겸연쩍습니다만, 맞춘 사람도 많았으므로 소개하겠습니다. 저 3명은 사실 멸망한 마을의 다이묘들입니다.

【링고 다이묘 · 시모츠키 우시마루】

【키비 다이묘 · 후게츠 오무스비】

【우동 다이묘 · 우즈키 텐푸라】

오뎅이 죽은 후, 오로치를 토벌하고자 모든 마을이 들고 일어섰습니다만, 백수 해적단에게 당하고 말았습니다. '시모츠키 우시마루'는, 조로와 싸운

여우 '오니마루'와 명콤비였던 까닭에, 오니마루가 조로에게서 '슈스이'를 훔칠 때, 젊은 날의 우시마루와 빼닮은 조로에게 놀랍니다만, 그 장면은 까다로워서 컷 했습니다. 본편에서는 말하지 않을지도 모르구요.

그러므로 답변을 드리자면, 우시마루는 조로의 아버지가 아닙니다. 세 사람의 이름은 본편에서는 나오지 않을 거라 여기서 밝히게 됐습니다만, 우시마루의 혈통에 대해서는 아직 그릴지, 숨길지 망설이고 있어서 보류할게요ー. 닮긴 했어요ー.

D : 피규어를 토대로 시라호시의 ππ의 크기를 살펴본 바, 대략 경차와 같은 크기임이 판명됐습니다. 그 이후, 경차가 ππ로밖에 보이지 않습니다! 도와주세요. P.N. 사나닷치

O : 사나다 ──!!! SBS 종료하겠어ー!! 방금 그건 없었던 일로ー!! 이놈 자식ー!! 끝이여ー!! 책은 마지막까지 봐줘요ー!!

제 1025 화
'쌍룡도(雙龍圖)'

표지 리퀘스트 '우솝의 모험담을 듣고 '우솝 이야기'를 편찬하는 문어' P.N 소다수스

야!!!
뭐 하고 있어, 모모!! 날아야지!!!
아니… 알!! 알고 있다!! 하… 하지만 몸이 움직이질 않소!!
내가 알겠냐, 바보!!
어른이 돼서도 아직 높은 곳이 무서워?!
고개를 쳐들기만 해도…, 몇 미터 높이인 줄 알긴 하오?!
그 입 다물라!! 무례하도다!! 무… 무사에겐 무서울 것이 없소!!
후들 후들
덜덜
뭣 때문에 커진 건데?!! 용이잖아. 날아!!!
알고 있으니까 재촉하지 말래도!!
급하다니까!!!
카이도가 날뛰다간 모두 당할 거라구.
알고 있소!!
날아!!
……
…….
좀 기다리시오!!!
하아…
하아….

쿠쿠쿠오오…
와아 아아아아아아…!!
와
쫘악
쿠구구우우…웅
빠각…
빠기각…
웅!!
쨍그랑!!
'거울산'.
쩌적
쩌적
푸욱…

방어했나….
쨍그랑!!
!

뱅글
뱅글!!
빠가앙!!
'빙(氷)그르
베기'!!!

퍼콰아앙!!!
네 녀석, 완전히……
우득
'와노쿠니'의 일원 같은 낯짝으로 덤벼드는군….
!!

까앙!!
까앙
너는 카이도의 아들이라는 혈통에서
벗어날 수 없다!!
네가 멋대로 무엇을 짊어지든
여기 온 사무라이들 중 누가 널 동지로 생각하지?!!
………
……!!
뻐억!!!

와!!
닥쳐!!!
!!!
상관없는 이야기다!!!
넌 이 섬에서 쭉 혼자 살아왔다.
섬 곳곳으로 도망 다니고 지붕 밑을 기어다니며
쭉 혼자서 말이다!!
……친구쯤은 있어!!!
팟!!
아니… 있었지……!!
그래. 그때의 사무라이들도 마찬가지…!!
네게 잘 대해준 녀석들은 모두 죽었다!!
오니히메 님, 먹을 것과…
모포입니다….

야,
저 녀석
왜 갑자기
처형당한
거야?!
오니히메
님에게
몰래 밥을
가져다줬댄다.
시끌시끌
아직도
도망 중인가?
오뎅이 되고
싶다고?
빠억!!
으와악!!!

우정이란
겉치레!!
모두가 너를
두려워하지!!!
사람은 힘으로
지배해라!!
너는 귀신의
아이다!!!
인간과
친해질 수
없어!!!
꺄앙!!
!!
뻑!!
쿠웅!!
윽……!!
그게
네 운명이다.
야마토!!!

날았다아 ~~~!!
좋아!! 잘했어, 모모!!
나아가겠소!! 앞으로!! 앞으로!!
붕!!
빠르다!! 금방 따라잡겠어!!
………
……!!
아아 아아아
왼쪽!!
아아아아아아아아…
왼쪽이야!!
좋아, 오니가시마!!
빠방!!
옥상에 그림자가 있어!!
옥상?!
너 눈은 똑바로 뜨고 있냐?!
우문이오!! 눈 떴다간 날 수 있겠는가.
뭐어~~ ~~~?!
아냐, 여기는
옥상이 아니라고 ~~!!!
해골 돔 '라이브 플로어'
끄아아아 아아악!!!
우와아 아악!!!
허?! 다른 용 ~~~?!!
아아아아
어?!

엑──?! 카이도 씨?!!
!!!
아니, 달라!!!

용~~~ ~~~?!!
뭐야, 저건!!
루피?!
……… ……?!

콰아...앙!!!!
으와악
~~~!!
와아아아아아
아!!!
꺄아
뭐야 뭐야
뭐야아?!!

멈춰, 모모!!
뭐 하는 거야!!
여긴
어디외까.
콰장창!!
꺄악
와
아아아
아아아!!!
성안
2층——
~~~

콰과과곽
으쩍
으쩍
?!!!
카이도?!!
대체 뭐야?!!
밀짚모자?!
어찌 된 일이냐?!
적당히 해!! 눈을 떠, 모모!!
눈에 뭔가 들어갔소이다!!
콰과과과 과
여기저기 부딪히니까 그렇지!!!
어떻게 좀 해주게, 루피!!!
근성으로 앞을 봐!!!

성안
3층──
벽이다.
멈춰어!!
와아아
엇.
빠직빠직
여기는
성안 3층.
지금
카이도 님이
날뛰고
계셔서…!!
아니야!!
카이도 님이
아니다!!
뭣……
용이
두 마리나
있을 리가….
색이 달라.
정체가 뭔지
확인해라!!
끄아아
아악.
콰과아앙
와
와아아아아

아래가
소란스럽군…….
크오오오오…!!
링링
녀석인가…….
성은 다시
건조해야겠어.
와아아아아…!!
콰과앙

하아…
하아….
이대로 끝날까 보냐……!!
아아아아아아
응?
'신족(新足)'.
팍직…!!
파직…!!
위험해. 여기는 공중이오!!
어서 발판이 있는 곳으로!!!
카이도가 있다!!! 저쪽으로 들이박아!!
!!
카이도……?!!
'기어 4(포스)' 스네이크맨!!
부왁!!
팍직 팍직
고무고무……!!
발파아안!!!

'백사구
(白蛇驅)'!!!
'JET
컬버린'!!!

루피!!
퍼버엉
오―,
야망이!!
네가
카이도를
막아주고
있었구나!!
도움이
됐어.
고마워!!
어?
......!!
다행이다
.........!!
우쭉
우쭉...

어떻게
살아났지?!
밀짚모자야!!
그 용은
누구냐?!!
이름을
대라!!
!!!

분홍색
용…!!
어라…?
설마……!!
어떻게
하든
안 죽어!!
난
해적왕이 될
남자다!!!
두웅!!

두
코즈키 모모노스케!!!
'와노쿠니'의 쇼군이 될 사내올시다!!!
쩌렁!!
모모노스케 군!!
쿠쿠쿠
소,
소인…!!
소인의 이름은…!!
워로로, 놀랍군. 그 꼬마인가!!
이 세상에 용은 두 마리나 필요 없다!!!
〈원피스〉 102권을 기대해 주세요!!

CHAMP COMICS

원피스 101

2023년 11월 23일 초판 인쇄
2023년 11월 30일 초판 발행

저자 : EIICHIRO ODA
역자 : 길명
발 행 인 : 황민호
콘텐츠1사업본부장 : 이봉석
책임편집 : 조동빈 /정은경
발행처 : 대원씨아이(주)

ISBN 979-11-6894-042-0 07830
ISBN 978-89-8442-320-6 (세트)

서울특별시 용산구 한강대로 15길 9-12
전화 : 2071-2000 FAX : 797-1023
1992년 5월 11일 등록 제1992-000026호

www.dwci.co.kr